美ら海漂流記《ちゅらうみひょうりゅうき》

奥村禎秀

美ら海漂流記

装画　にしはしゆう象
表紙絵と挿絵　巴菜

美ら海漂流記＊もくじ

1 美ら島

仏桑花（ハイビスカス）　一途に燃えて　美らの島
慟哭は　儒艮（ジュゴン）の海や　泥の色

蝉麻呂

僕が沖縄にやって来たのは、東京の小学校を卒業して母の故郷、沖縄本島北部の中学に入学することになった時からだ。

沖縄の海を初めて見たときは、衝撃的だった。緑だか青だかの入り混じった水は透明で、底の底まで見えるサンゴの隙間からは水色に輝く小魚が湧き出るように泳いでいた。

僕が住んでいた東京湾の海は、底なしのヘドロ沼のようで、その暗闇の中に何が住んでいるのか皆目検討がつかない、ミステリアスな海だった。

たまに天気のよい日など、父とその海に出かけ、貸し釣具屋で竿を借り、何を釣るでもない、あてのない暗闇の釣りをした。

遠くには東京タワーとスカイツリー建設予定地が見え、将来東京のランドマークが競うようにそそり立つのが見えるだろう。

父は「一箇所で二度美味しいグリコアーモンド景色になります」なんて下手な昔のＣＭをもじった冗談を言いながら釣れない釣りを楽しんでいた。

帰りには決まってスーパーでマグロの刺身と生イカを買って帰り、母は調子を合わせ、「イカはどこで釣ったの？」とチクリ。「日本の海はどこでも繋がっているから」とうそぶく父に「昨日テレビで北海道の夜の釣り漁見たけど……」なんて追及され、父はイカの明太子和えを作るためにすごすごと台所に逃げ込んで、〝イカはあぶらない生がいい～〟なんて下手な演歌を歌いだす。

妹も調子に乗って歌いだしたが急に咳き込んでしゃがみこんでしまった。父も母も慌てふためき、〝早くスプレースプレー〟妹は強度の小児喘息を持っていた。

東京のはずれのここは、風向きによって流れてくる臨海工業地帯の煙や車の排気ガスなどで、汚れた空気が、時折流れてくるようだ。母は妹の病気の原因はこの空気だと、常に言っていた。

そんな理由で、空気のきれいな沖縄に、母と妹と僕も沖縄に来ることになったのだ。のんきな父は、日ごろ口うるさい母からの解放を願っていたし、母は故郷に帰りたい気持ちが強かった。一番の決め手は、妹の病気にはきれいな空気のところへの転地が良い、という医者の一言だった。僕はごく普通の小学生で成績は、よくも悪くもなく、のんびり沖縄も悪くないなと思っていた。ただ本を読むのが好きだけど、生活にも学業にも役立つようなものでなく、あらゆる分野の雑学知識を読みあさるのが好きだった。学校では〝ズボンをはいた百科事典〟とか〝名探偵コナンもどき〟とか呼ばれていた。

名は鈴木太郎、中学に入ったばかり、沖縄はちょっと暑いけど、今まで見たこともない景色や食べ物が珍しく、特に透明な海の青さは一日中見ていても飽きることはなく、毎日、海の中を覗き込んで、サンゴ礁の中にいる生物の新知識を得ようと好奇心の塊になるのに忙しく、その日見た魚などは東京から持ってきた魚図鑑で名前を調べたりして、一日が短かすぎる日が続いた。

図画はそこそこなので、沖縄の〝さかな絵師〟になろうかなと、密かに思っていた。

しかしそんな大それた考えは、すぐに吹き飛んだ。


心を鷲づかみするような青い空、図鑑で見たことのある海を渡る蝶、オオゴマダラがゆったりと飛んでるのを見て、ここは海だけじゃない、もっと何かあるようだと感じた。

きれいに整列したフクギ並木が、未だ寒かった東京から来た僕を、暖かく迎えてくれた。

妹の病気はこの風と海だけでよくなるんだろうか？　のんきな父さんは大丈夫なんだろ

うか？　もうすぐ始まる学校の不安と期待。

サトウキビ畑では、早々と草ゼミが、か細い声で鳴いていた。突然、浜への小道から老人と少年が姿を現した。多分、漁からの帰りなんだろうか、老人は網を担ぎ、少年は獲物が入ったかごを背負っていた。

老人は僕を見て、少年のかごの中から大きな魚を一匹取り出すと、

「今度、東京から来た子だろう、これもっていけ」

それだけ言って二人は通りすぎて行った。お礼を言うひまもなかった。

渡された魚を見ると、ブダイ、水族館でよく見る魚だった。

東京にはない海の色をしていた。しかしなんでくれたんだろう。この魚は夜、布団にくるまって寝る魚だと、何かに書いてあったことを思い出した。

「知らないお爺さんがくれたんだけど」

母に差し出すと、

「津波のオジィがくれたんだな、イラブッチャー久しぶりだね、うれしいな」

地元ではブダイをイラブッチャーと言うらしい、

「あのお爺さんなんでくれたんかな」

「沖縄では昔からユイマールと言って沢山持っている人が持ってない人に分けてあげるんだよ。こうして島の人は助け合って生きているんだよ。それとね、〝いちゃりば、ちょうでぇ(行き会ったものはみな兄弟)〟、〝ひぇだてぬあか(なんの隔てがあろうか)〟優しいね」

母は少し誇らしげに、

「沖縄は海も空もきれいだから人の心もきれいさ」

最近、時々母は沖縄のなまりが出るようになってきた。そういえば僕たちが初めて那覇の空港に降りた日、母は、真っ先にタクシーで首里城に僕たちを連れて行った。

南国の空に似合う色に塗られた門が僕たちを迎え、その下で伝統衣装をまとった女性が観光客と写真を撮っていた。城への階段を上がるとき、母は、

「この階段よく見てごらん、荷物を上げるために広くなっているし、一段ずつの高さも低くなっているんだよ」

なるほどその階段の勾配も高さも、東京の地下鉄の階段よりはるかに緩やかで、気持ちがよかった。やがて目の前に首里城が現れると、母は手を合わせハンカチで目を拭っていた。

「よく見ておいて、東京にいた時も、いつもこれが私の心の故郷だったんだよ」

確かにこの城は訪れる人に、隅々まで配慮された造りで、誰にでも優しい沖縄の心なん

だな、ということがよく分かった。母はどうして、父と出会ったんだろう。

その話は、今まで聞いたことがなったけど、父が沖縄で暮らしていたなんて話は聞いてなかったし、母が東京で暮らしていたなんてことも聞いていなかった。

あのガサツな父が何で、母と結ばれたんだろう？　前から不思議だった。

「あのお爺さんとは昔からの知り合い」

「うん。亡くなった私の父、あんたのオジィと同じ船で漁をしていたんだよ。子供の時からよくかわいがってくれて、うちのオジィが早くに海で亡くなって、漁に出たときはいつも魚を届けてくれたんだよ」

今度、出会ったら父と母の事、聞いてみよう。

「ブダイは内臓に毒があると書いてあるけど」

魚介図鑑情報を告げると、母は、

「馬鹿言うんじゃないよ。そんなことを言う人もいるけど、それは別の種類らしいよ。私は子供の時から食べているけど、まだ生きているよ」

確かに種類によって毒のあるブダイもいるらしいが、このブダイは大丈夫。何世代もの間、海の産物で暮らしていた。現地の生きた情報はすごいもんだ。ズボンをはいた百科事典はそろそろ引退して、今後は〝体験型生き字引少年〟を目指そうかな。

夕食に出た、少し海の色が残った皮を付けたブダイの刺身はとてもおいしく、半身はバター焼きにされて、妹は新鮮な魚に大喜びだった。

「お父さんの釣ってきた魚には、時々値段がついていたけど、これは海からすぐに来たんだね。それにこの青さは、海の色も空の色もまだ残っているんだ」

冗談とも本気ともわからないことを言って、我々を笑わせた。

今度、あのお爺さんに頼んで妹に沖縄の魚をもっと見せてやろう。喘息のために人ゴミの多い水族館などには出かけられなかった妹は、スーパーで売られている魚しか見たことがなかった。

テレビでは東北地方の名残大雪のニュースを流しているというのに、ここの商店街では、古くなったサクラ祭りの提灯が飾られていた。

「次の休みには、花見にでも行こうかね」

東京に卒業式の為だけに帰る気はなかったけど、会ってお別れを言いたい人はいた。

沖縄の桜はカンヒザクラと言って、桃の花に近い色と形をしていた。

2月も終わろうとしているのにもう散り始めていた。本土のお花見のように歌ったり飲んだり食べたりしている人はいなく静かだった。

妹は心地良い日差しの中で地面の花びらを集め、鼻の先に張って〝鼻の花〟。やはり父のDNAかな？　と思うと父は今頃は何をしているか、少し、ほんの少し気になっていた。

もともと父は小さな広告代理店勤務、どちらかと言えば柔らかい職業で
「チョビットはえた　ちょびひげもすっきりそれる　ひげそりはチョビット」

とか
「ビーフ　チキン　フィッシュ　愛犬にはワン！　ダ〜フルコース」

みたいな駄洒落コピーなんか書いて、結構喜んでいた。

いつも算数を教えてくれる、クラスメートの秀才高木正子さんが家に来てもブリーフにワイシャツだけで菓子なんかすすめる父に
「あなたのお父さんは大丈夫？　大人になってもあんな風にならないでよ」

と必ず帰りの玄関で言われてしまい、毎回、〝気を付けます〟の連発で、我々がいなくても、父は大丈夫かな？

いつも正子さんの鋭い突っ込みを思い出して、不安になってしまうのだった。

正子さんは、ぼくが沖縄に行くと言ったとき「沖縄か？　いいな〜」と手を握り、お餞

別に、虫眼鏡付きの名探偵コナンのキーホルダーと、何故だか北原白秋の歌集をくれた。柔らかい彼女の手の感触は今でも残っている。やっぱり会ってお別れを言いたかった。

今頃は都内最難関の中学入学準備で忙しいだろうな、少し寂しくなりかけても沖縄の海風は、まったりと温かく包んでくれている。お花見帰りのバスには二、三人の地元の人が乗っていた。目の前に座っていたおじさんを見て妹は僕の腹を肘でつついた。おじさんは陽に焼けて色が黒く、胸元からはみ出た毛はバスが揺れるたびに揺らいでいた。

海で鍛えたのであろう。胸板は筋肉もりもりで、僕たちを圧倒した。

目の前のそのおじさんは、たくましい腕に黒い子犬を抱えていた。妹はまだ激しく僕をつつく手を緩めない。不思議に思い、妹の視線を追っておじさんの抱いている犬をよく見ると、腕組みをしていた毛深いおじさんの腕だった。驚きの表情の妹と顔を見合わせ、笑うに笑えず困り果てた我々、でも母は気づいていない様子だった。初めての沖縄は、こんな楽しいバスの小旅行になった。

バスを下りた妹は、

「あのおじさん寝るとき枕いらないね。あの腕があればどこでも寝られて便利だね」

沖縄の中学の入学はもうすぐだ。その間、僕は不安と希望の中、海に行ったり山に行ったり好奇心の塊になっていた。その塊が東京の学校の卒業式に出るのを引き留めた。

母はよく「ハブに気をつけろ、石垣からよく出てくるからな」と注意した。

北部の海に近いこのあたりの家の周りには台風の風よけにサンゴの石垣がどこの家にもあって、東京の家のフェンスや石垣と違い、形や大きさの違った様々な大きさのサンゴの石が乱雑に積み重ねられているだけなのに南国の家の庭にはよく似合っていた。

毒蛇のハブも僕の好奇心の対象になっていた。一度見たい、近所のサンゴの石垣を覗いていると、おばさんが、出てきて、

「何してるの？」

と聞かれて、

「ハブ見たくて」

と、正直に答えると、

「昼間じゃダメ」

「雨上がりの夜明けか夜だな、そのあたりの道をよく言っとるよ。そんなに見たいのか。残念だね。ハブ採り名人の爺さん去年、死んじまったからな〜。あんた最近東京から帰ってきた春ちゃんとこの子か、今度出てきたら教えてあげるよ」

沖縄の人は情報が早く親切だ。これじゃ、学校をさぼったりは出来ないな。注意、注意。

母は職場が決まり、慌ただしい日が続いていた。元看護師だった母は、すぐに地元の病院で働くことになった。そこの病院は職員のための学童クラブがあり、妹は最初、いやがっていたけど、学校が終わっても母の職場に居られるので安心したようだ。

初めて見た母の白い制服姿は、まぶしかった。最近、父との出会いを母は白状した。父も初めての沖縄で出会った母のこんな姿に参ったんだろうな〜。

父と母の出会いは、父がサンゴ礁で踏んだ貝がきっかけだったらしい。この貝はアンボイナと言って毎年、刺されて死人がでる恐ろしい毒貝で、沖縄ではハマナカーと言い、刺されると浜の半ばで死んでしまうので名づけられたらしい、また猛毒のハブになぞらえられハブガイとも言うらしい。とにかくこの恐ろしい貝を踏んづけて、病院に担ぎこまれた父を介抱したのが、看護師の母だった。東京の家には今でもこの貝がテーブルに置かれ、ケンカをすると父はよく手を合わせ、「アンボイナ様、こんな素敵な方と巡り会わせていただいたのに、怒らせてしまいました。すみません、反省しております」と母の機嫌を取っていたのを思い出し、ようやく謎が解けた。この南国は人を美しく清らかにしてしまうんだろうか？　いやそれだけではない。フラダンスの髪飾りでしか見たことのない、どこでも咲いているハイビスカスの花も、青い空の下で海風に揺れているのを見ていると、自然の中で生きている物全て美しい、と感じてしまう。

いよいよ中学が始まった。妹の学校は少し前に始まっていて喘息の発作もなく、元気で通学している。安心だ。

一応、秀才の高木正子さんにはブダイの絵と手紙を書いて送った。

僕の通う中学は海の見える高台にあって、真ん中に岩山が汽船の煙突のように見える。地元では塔頭と言うらしい小島が沖に見え、もう少ししたらその島と浜の間には、時折、潮を吹くクジラが見えるそうだ。

当然、正子さんにはクジラのことも書いて、初めてクジラが見えたときは絵を描いて送りますから、そちらの学校の事お知らせくださいと、返事の催促もした。

しばらくして返事が来て、学校までは電車を三回も乗り換え、通学時の電車は満員で毎日がつらいと書いてあった。少し心配だ。

こちらは歩いて40分はあるけど、海沿いのフクギ並木の道だ、自動車はあまり通らないが、水牛が引く観光の遊覧車の通り道になっていた。学校も徐々に慣れてきて、クラスメートの顔も少しは分かるようになってきた。

クラスの中に小柄で度の強いメガネをかけ、休み時間も外には出ず、いつも本を読んでいる少年がいた。彼は授業中、ぼんやりと窓の外を見ている時がよくあった。そんな時、先生がいきなり質問攻めにしても、聞き取りづらい小さな声で、ぼそぼそと答えるが、答えは全て正解、「授業に集中しろ！」注意しようとした先生も黙ってしまい、いつもバツが悪そうだった。

帰りの道が同じなので一度声をかけてみようと思っていた矢先、大勢のクラスメートに囲まれながらその少年は、やってきた。彼は肩や腕に皆のカバンを持たされ、おまけに頭にもカバンを乗せられ、ヨタヨタと歩いていた。大きなフクギのところで全員が止まり、ジャンケンを始めた。今までカバンを持たされていた少年は勝ったらしいが、負けた〝ドラえもん〟に出てくるジャイアンのようなでかいのが、

「誰が負けた奴が持つと決めた。今度は勝った奴が持つんだ」

と、わめき散らしていた。歩き始めていた彼は、静かに戻り、カバンを集め始めた。

僕は腕に自信もなく、運動神経もそんなにいい方ではないが、不正な物には、体が何故かカッと熱くなり、いけないと思いながら、皆の前に出てしまった。

「なんじゃい、お前は？」

「最初から負けたもんが荷物持つのがルールなんだろう」

「お前、最近、東京から来たヤマトンチュだな、引っ込んでろ」

ジャイアンはよくテレビで見た回し蹴りを仕掛けてきた。一発で飛ばされた僕の体は路上に倒れ、第二攻撃を受ける瞬間、ジャイアンの体は、目の前から消えていた。投げ飛ばされていたのだ。荷物をもたされて「倒れていた少年」を除いて全員、蜘蛛の子を散らすように逃げて行った。

「あんな馬鹿相手にしたらだめだぞ」

突然現れた声の主はブダイをくれたお爺さんと一緒にいた、僕と同年代くらいの少年だった。彼は僕が礼を言う前に立ち去った。

山のように荷物を持たされて倒されていた少年が立ち上がって、

「ぼくは運天二郎、ありがとう」

小さな声で言った。路上に散らばった僕の本と、彼の本を拾い集めていて分かったことだけど、路上に散らばった彼の本は、鳥図鑑と星座図鑑ばかりだった。

運天二郎君は星と鳥が好きらしい。表紙がボロボロになった二冊の図鑑についた土を丁寧に払って、〝アリガトウ〟と言って手を差し出した。

僕の沖縄での初めての友だ。

ジャイアンを投げ飛ばしたスーパーマンはすぐに姿を消していた。

今日のことを母に話すと、運天君のお母さんとは今の職場が一緒で、看護学校も一緒だったという事だった。それと海人のオジィと一緒だったスーパーマンはその孫で、全沖縄柔道大会小学生の部で二位になったこともあったらしいが、海とオジィが好きで柔道はやめてしまい、今はオジィと二人で暮らしている。

彼の両親は大阪にいて、一緒に住むように言っても、本人は海人になるんだと言いはって両親のもとには行かないで、沖縄に残っているという事だ。

この日、高木正子さんから手紙が来ていた。体調をくずして学校を休んでいるとの事だった。今日の出来事と運天君の鳥図鑑の表紙に出ていたヤンバルクイナの絵をかいて正子さんに送つた。

ヤンバルクイナは一九八〇年ころ、ひっそりと暮らしていた飛べない鳥がやんばるの森の中で発見され、大騒ぎになったらしい。しばらくしてヤンバルテナガコガネも発見され、こんな世紀の大発見が続いて、新聞をにぎわしたことがあった。こんな森の近くに今僕が住んでいるなんて、世紀の大発見ができるかも？　好奇心の炎がめらめらと燃え上がり始めた。

翌日は、運天君が突然、

「君は自転車乗れる？」

と聞いてきた、

「当たり前だよ。体のバランスはよくないけど乗れる」

と答えると、学校が終わっての帰りに家に誘われた。

運天君の家は大きな家の脇の、離れのような家だった。彼は裏から古びた自転車を持ってきて、声をひそめて、

「今週の土曜日の夜、ヤンバルクイナを探しに行かないか」

見るのは非常に難かしいけど親戚のおじさんに、いつもよく見かけるところを聞いていたらしい。

お互いに興味を持つものが共通らしい。最初から感じていたけど、なぜか匂いで分かりあっていた。

「これは兄のだけど、もう乗らないから、これを君が使って」

「アリガトウ」

と一応言ったけど、夜間、しかも一泊を母が許すかどうか。友達の家での外泊というのは簡単だけど、母と同じ職場だから野宿となると、すぐにバレバレ、運天君も同じはずだけど、彼は平気だった。

「僕の親戚のおじさんちに二人で遊びに行くという事にするんだよ。おじさんちには電話が無いから大丈夫。星を見る時はいつもその手」

図鑑や新聞雑誌だけの知識で威張っていた僕なんかより、体験や観察する運天君の方が、ずっとたくましい。いじめられてもめげない彼の強さの根源はこれだ。だれになんといわれても好きな物を追い求める。黙々と土で汚れた図鑑を丁寧に、必死に拭いていた彼の姿を思い出した。

2　ヤンバルの森

ヤンバルの森　命ドゥ宝　ヘリの音
ヘゴの道　遥か遠くで　怪獣鳴く

蝉麻呂

母は意外に簡単に許してくれた。

こんなにも土曜日が待ち遠しいと思ったことは最近なかった。

前日、自転車にはエアーを十分入れて、夜間観察のために長袖のシャツ、ズボンも二枚、カバンに詰めて早く眠ろうと思った。しかし眠れないまま朝。

土曜日は快晴。ドリンクとおむすびとカロリーメイトを、近所で一軒のコンビニで購入。

車はめったに通らない舗装された広い道路を、運天君の先導でサイクリング。

平坦な道をコバルト色の海に沿って走った。潮風なのに甘く感じる風は、多分、太陽の光のせいだろう。

道路の両側には家が少なく人影はない。

運天君は時折、通り過ぎて行く鳥の名を教えてくれた。

「あれはリュウキュウツバメ、よく見てごらん。君がよく見ていた本土のツバメと赤い首の下が違うんだよ。ここのツバメは首の下に黒い線が入ってないんだ」

東京ではツバメの首なんか見たことなかったな。他にリュウキュウヒヨドリ、東京で見るヒヨドリとは声も色も違っていた。

「あれか、あれは本土のヒヨドリと違い、ほほの茶色の部分がのど元までつながっているんだ」

運天君は、沖を飛ぶ大型の鳥を見て、急に自転車を止めた。

「サシバだ、本土に渡るんかな？　昔は離島で食べたって聞いたことあるタカの仲間だ、最近は減っているらしい」

彼はまるで、自転車に乗った鳥類事典。

海岸で昼食のおむすびを食べている最中も、彼は空ばかり見て鳥を探していた。

そして〝ぼそり〟と、

「鳥みたいに飛べればいいな」

度の強いメガネレンズが光って、口元には米粒がくっついていた。

昼食を食べて、すぐに出発、しかし急に動いたせいか、しばらくして腹が痛みだした。

まずい、ティッシュを忘れた。顔には脂汗が噴出し始め、周りの景色が灰色に見えた。

やがて運天君は、僕の異変に気が付いた。

「運天君、トイレに行きたい」

「その辺の草むらでいいじゃないか」

「それがウンコ、紙が無いんだ」

運天君は周辺を見渡し、

「それじゃ、そこの芭蕉林の葉、木は傷つけないように下に落ちている枯れたぼろぼろのを重ねて使うように、その木の葉は大切なんだから」

ウンコをしながら見た海は、全てに解放された安心感もあり、コバルト色に戻って美しかった。

浜におりて手と顔を洗い、何故か海に向かって叫びたかったが、運天君に焦りまくった自分を見られてしまい、声は出せなかった。このことは正子さんには絶対に内緒にしよう。

沖縄の早春の風は暖かく、気持ちいい。

ヤンバルのイタジイの森が徐々に近づいてきて、胸が高鳴って来た。森の入口に小さな雑貨屋があり、パンや飲み物を購入、そしてトイレットペーパーも忘れずに買った。

アスファルトの道路を山の方に折れると、川に沿った小道が森に続いていた。

その川はやがて森に消えてゆく谷川になり、道は急こう配の山道になってきた。

森に入るにつれ、太陽の光が差し込まなくなり、辺りは暗くなって、道の脇に黄色い立札が立っていた。中央にヤンバルクイナのシルエットが描かれ〝飛び出し注意〟と書かれていた。この看板に僕の胸は、徐々に高鳴っていった。

「明るいうちに食事をしとこうか」

アンパンとジュースの夕飯はすぐに終わり、風が冷たくなってきた。

未だ光のあるうちに、目的地に着いておきたいのか、ヤンバルクイナと早く会いたいのか運天君は少し焦っていた。しばらく行くと、

「この辺りかな？」

彼は、ポケットから取り出した雑誌の切り抜き写真を広げ、何度も何度も小道の周辺の樹木と写真を見比べていた。写真には、道を横切るヤンバルクイナが写っていた。

「この辺だと思うけど、どうかな？」

差し出された写真の中央にある植物、ヘゴがあった。

「ここだよ。ヘゴが一本ある」

早速、道の脇に自転車を止め、荷物を降ろし周辺の枯葉をかき集めて、居場所を確保した。

枯葉フカフカの絨毯の上に持参の鎌で草を刈り敷くことにした、と言うのは、新鮮な草

の香りが、湿った枯葉の匂いを消してくれるからだ。

太陽が沈んでいくらしい。少し寒くなって、シャツとズボンを2枚重ねてはく事にした。

運天君は懐中電灯を二本取り出し、一本を差し出した。やはり星観察などの経験か、準備に抜かりない。彼は毛布をとりだして、枯葉の上に敷き、寝ころがって鳥の図鑑を見ていた。懐中電灯の光の輪の中にノグチゲラやアカショウビンが映し出されていたが懐中電灯の光が消されると、やがて辺りは鼻をつままれてもわからない位の暗黒の世界へ突入した。生まれて初めての黒一色の世界だ。しばらく沈黙が続き、その暗闇から運天君が話し始めた。

「やっと友達らしい友達が出来た」

「僕も同じだよ。たまたま妹の療養のために沖縄に来たけど、君みたいなのがいてうれしい」

月が出始め木の間越しの光で、辺りは少し明るくなった。

「東京ってどんなとこ?」

運天君は思いつめたように聞いてきた。

「海が汚れている、人が多い、地下鉄、JR電車、車がいっぱいある。それから店が多い。僕らくらいの子は大体、塾か野球、サッカー教室に通っていて、携帯かパソコン持ってる」

「君は塾には行ってなかったの?」

「ウン。近所に天才的な子がいて家に来て算数やら国語を教えてくれたから、助かったけど、今、彼女は病気で学校休んでいるようだ」

「東京に行ってみたいな。そして兄ちゃんに会いたいし、お父さんにも」

「前から気になっていたけど二郎という名前は。普通、一郎とか太郎とかいうお兄さんがいるんだよね。でも会ったこともなかったし、第一自転車はお兄ちゃんのだと言っていたよね」

「ウン。兄ちゃんとお父さんは東京にいるんだ、多分だけど」

ほの暗さの中で、聞く話としては少し辛かった。

「でもどこにいるかわからん。兄ちゃんとは七つ年が離れているし、別れたのはぼくが五歳ころだったからな。ある日、突然に父と兄ちゃんが出て行ったんだ。僕たちもすぐに引っ越しをして、母に事情を聞いても怒ってばかりで、何も聞き出せなかった」

運天君はめったに外さない度の強いメガネを外して、顔を背けていた。

妹の小児喘息の療養の為に、父と離れてボンヤリと沖縄を楽しんで暮らしている僕とは大違いだった。

「もし東京に戻るチャンスがあったら、絶対に君のお兄ちゃんやお父さん捜すから」

運天君は僕の手を握り締めて、小さな声で〝アリガト〟と言いかけたとき、草むらの中でガサッと音がした。運天君は懐中電灯を木の上に当てた。ヤンバルクイナは夜は木の上で寝るからだ。二人は懐中電灯を草むらにも当てたが何もいなかった。

「懐中電灯が早すぎたかな」

運天君は元の鳥少年になっていた。

その後は、コソリとも音はしなかった。南国でもやはり夜になると冷えてくる。彼はかぶっていた毛布を半分かけてくれた。

運天君とはずっと友達でいられるな、と思った。この雰囲気はテレビで聞いたことのある、何故かもの悲しい沖縄民謡の世界だと思った。残念ながら、僕はまだ方言で歌われる古い沖縄民謡の内容はわからなかった。しかし地元の老人たちが話している言葉は、遠い昔からの方言のようだった。運天君に沖縄の方言が分かるか、聞いてみた。

「わかるさ。戦争前に現代詩人が書いた標準語も入った方言詩があって、兄がよく読んで説明してくれたんだ。最初はよくわからなかったけど、なぜか身近な感じがしたな」

「どんな詩なの、まだ覚えている？」

「うん、途中からだけど」

スーさい
でぃーささいくね酒
アンマーさい
泣ちみそーんなけー

訳すと、「お父さんこの酒。母さん泣かないで」という意味なんだけど、僕の好きなところは、

わーが
かんなち孝行すんどー
マージューん
いー良夫持ッちょーせー
うエーかぬちヤーん
ゆー出来とーん
わん同士ん
んーな沖縄ぬ宝

（石川正通「父母を慰める」）

「まだまだ続くんだけど、親孝行しますよ。親戚も、友達もみんな沖縄の宝です。だから家は栄えますよ。という意味の詩なんだけど、この詩は長い。よくわからないところがあるけど、何故か懐かしい気持ちになるんだ」

運天君は、悲しいとは言わなかったけど、お父さんやお兄さんのことを思い出しているに違いない。

夜が明けるまで少し眠り、木々を鳴らす風の音で目覚めた。残りのチョコやパンを二人で分けて朝食にした。

「この奥におじさんの家があるから、立ち寄らなければ。母さんへのアリバイ、アリバイ」

運天君のおじさんの家は森の奥の畑の真ん中にあった。家の周辺には、薪がうず高く積み重ねられ、粘土で固められた巨大な窯があった。

その窯の傍で泥だらけの大きなおじさんが土をこねていた。

「オー、二郎、野宿をしたな」

なぜ分かるのだろう。

「大丈夫、母さんには家で泊まったと言っとくから、それでヤンバルクイナは見たのか?」

このおじさんは皿や壺を焼く、陶芸家らしい。

僕は自己紹介をするために、おじさんの方に近寄り、積み上げられた薪の傍を通る時、突然、

「薪の方には近寄るな！　その中にハブがすんでるらしい、危ないゾ」

その迫力にハブを見てみたいとは言えなかった。

おじさんは二人に焼き芋をくれて、帰りにヤンバルクイナ生態展示学習館で飼われているのが見られると教えてくれた。

帰りが遅くなるので早々に森を抜けるために急いだ。その途中におじさんが教えてくれた生態展示学習館があった。

人になれたヤンバルクイナが一羽、ガラス越しに見えた。人工孵化らしいこの一羽も、縄張り意識が強く、狭いとこでは一羽が限界らしい。案内のお姉さんが教えてくれた。

ヤンバルクイナはガラス越しに十分に観察できたが、何故か物足りない。やっぱりヤンバルの森の小道から飛び出してきてほしかった。しかしヤンバルの森で友達と野宿をしたこと。友達は鳥について、びっくりするほど詳しいこと。彼はコナンの父優作みたいである事。芭蕉の木は繊維で工芸品を作るので大切にしていること等、正子さんには報告しようと思った。

舗装された広い道に出たとき、突然、大きな爆音とともにヘリが海上に現れた。

運天君は自転車を降りて、その姿を追っていた。

「あれはコブラというヘリだけど、日本には海面に真っ逆さまにおりて魚を取り、まっ直ぐに上昇する、ミサゴといわれている鳥がいるんだけど英語はオスプレイ、そういう動きをするヘリがアメリカにはあるらしい。そういうヘリを作る人もきっと鳥好きが多いんだよ」

「君は英語出来るんだ。すごいな」

「いや少しだけ。お父さんが米軍に勤めていたんだ」

その日の夜遅く家にもどった。母はソーキそばを作って待っていてくれて、あれこれヤンバルのことを聞いてきたけど、眠くて答えられないまま眠ってしまった。翌日、校舎の窓から沖合を二頭のクジラが潮を吹きながら通過して行った。君たちは小さい！　小さい！　地球は大きいぞ。何も知らないくせに、どこからでもかかってきなさい！　僕たちを小ばかにした、挑戦的な泳ぎだ。

誰かが、今年はちょっと遅いのかなーって、言っていた。僕は学校からクジラが見えるなんて、日本国中、ここ以外どこにもないかもしれないと、少し誇らしく感じたけど、運天君は無表情で興味を示していなかった。相変わらず静かに図鑑を見ていた、今日は星座表らしい。

その日の夜、初めてのクジラのこともあって、ヤンバルのこと、鳥好きの友人のこと、正子さんに手紙を書いた、無論クジラの絵を添えた。

暖かくなるにつれて、年中咲いているハイビスカスの花が少しずつ増えてきた。

フラダンスのダンサーの髪飾りでしか見たことのないこの花は、台風などに強く畑などの防風等に使われているとの事だ。

相変わらず運天君はジャイアンにいじめられていた。珍しく、運天君と昼食を外でとって、教室に戻ると、彼の机の上にヘビがいた。

毒はないが強暴な蛇、アカマタだ。ジャイアンの仕業に違いない。しかし運天君は何事もなかったかのように、やさしく蛇の頭をなぜて教室から外に出した。女生徒たちは、最初逃げまどっていたが、落ち着いて処理した運天君に拍手を送る女子もいて、人気上昇。

ジャイアンは当然面白くない。

ジャイアンが運天君につかみかかろうとしたとき、先生が教室に入ってきた。だれかが呼びに行ったんだろう。

「運天。学校にヘビなんか持ってきてはいかんぞ」

運天君は黙っていた。教室の皆も黙ってしまった。僕も残念ながら何も言えなかった。何故かと言うと運天君が深々と頭を下げて、すぐに謝ってしまったからだ。

メガネの奥の彼の目は僕の方を見て、合図をしているように見えたし、少し笑っているようにも見えた。

帰り道、彼はポツリと言った。

「あの先生が新入りの時、沖縄県の県の鳥のことで、もめたんだ。先生が沖縄県の県鳥をヤンバルクイナと言ったのを、違う！ ノグチゲラです。なんてプライドを傷つけてしまい、それ以来、二人の関係はだめになったんだ」

なるほど鳥の事では新米の先生では運天君にはかなわないだろうな。将来、鳥の研究者になるのか？ 聞いたことがあったけど、彼は鳥の研究者にはならないと言っていた。理由は将来沖縄の鳥は半減するから、それを食い止めるために、僕は自然環境保護の仕事がしたいと言っていた。すごい。彼はやっぱりコナンの父、優作父さんだ。

帰ると正子さんから封書が届いていた。中に入っていたのは何故か、四年の時のクラス対抗リレーの写真で、僕らのクラスが正子さんの活躍で、一位になった時の笑顔の正子さんの写真一枚だった。

志織は小児喘息の発作もなく元気に通学していた。最近では夏にあのきれいな海で泳ぎたくて、地元のスイミングスクールに行きたいと言い始めて、母は迷ったらしい、でも勤め先の医者と相談して、行かせる事にした。

東京の学校では、妹の水泳授業はいつも見学で、水には自宅の風呂くらいしか、入ったことが無く泳ぎには慣れていなかったからだろう。

しかし、時がたつにつれ海が志織の身体を、徐々に健康にしてくれているようだ。母と父の決断は間違っていなかった。澄んだ空も海も風も、強い日差しの太陽のように、妹の体にしみ込んでくるようだ。

そしてそれが大きなエネルギーになっている。ぼくも今までの活字やモニター画面の知識を、実際に体験したくて体がウキウキして、体に力があふれてくるのだ。

次の休みには何をしようか？　あれこれと考えていた時、運天君から連絡が入った。

「例のスーパーマンの津波君、彼からの連絡で明日グルクン釣りに行かないか？　って」

あの海人のオジィは、休日には釣り船もやっているらしく、客のドタキャンが出たので、餌がもったいないからと誘ってくれたのだ。

やったー。あれこれの迷いが急にウキウキになった。翌朝、志織が、

「父さんみたいにスーパーで買ってきたらだめだよ」

ときつい一発があって家を出た。

四人分のサンドウィッチと、鳥のから揚げが入った弁当を母が持たせてくれた。運天君もすぐに来て、やはり何か食べ物をいっぱい、持って来ているようだ。小さな釣り船はリーフからすぐに外洋に出た。長い波のうねりを切り裂いて、漁場に向かう船は水を得た魚のように、元気よく、まっすぐな航跡を残して突き進んだ。空には雲一つなく風は暖かい。やがて本島も遠ざかり、周囲が海に囲まれてしまうと、海の色が変わり始めた。海人のオジィは消えた島影や波を見ていた。運天君とオジィは空を飛ぶ鳥を見ていた。

「サーテ！　釣るか。今日はいっぱいいるぞ、ほらほら」

オジィは海中が見えているように海面をアチコチ指さしたが、僕には何も見えなかった。生まれたときから、何十年も海を見ていた人にはかなわない。

オジィの見ている海は、きっと魔法の透明ガラスなんだ。

沢山の擬餌針の上に取り付けられた小さな餌かごにオキアミを詰めて、海中に投げ込んだ。餌を出来るだけ撒いて、魚を集める仕掛けになっているらしい。スーパーマンはやはりスーパーマン。彼の竿がしなり、二匹のグルクンが釣りあげられた。

続いて運天君。都会っ子の僕にはダメか？　そう思った。瞬間、竿がしなった。しかも三匹もグルクンがくっついていた。

竿に伝わるその重さと、逃げまどう魚の振動。この感覚はしばらく、忘れられない心地良さが残った。僅かな時間で三人は百匹ぐらいは釣りあげた。

「これくらいで良いか？　あまり頂きすぎると海の神様に申し訳ないからのう」

海人のオジィは、僕らに竿を上げさせ、食事をするために、近場の無人島の入り江に船を入れた。島には一本だけ木があった。

青かったグルクンが赤に変わっていた。海人のスーパーマンに聞いてみると、

「グルクンは興奮すると色が変わるんだ、君と同じだな、これからは君をグルクンと呼ぶか？」

「それなら君はナポレオンフィッシュ」

運天君がスーパーマンに言った。（何故なんだ？）　思っていたら、すかさず運天君が、

「ナポレオンフィッシュは沖縄ではヒロサーって言うんだ」

「なるほど、じゃー君を魚に例えたら？」

黙って聞いていたスーパーマンが言った。

「運天はアバサーだ。おとなしいけど危険。いつも一人ポッチ。最近は違うけど」

波の穏やかな船での昼食は、驚いたことに三人とも、鳥のから揚げだった。それに驚いたことにケンタッキーフライドチキンだった。

海人のオジィが、

「みんなケンタッキーか？　正月が来たようなごちそうジャー」

食事を終えて港にもどると、早朝から出ていた釣り船の客が、魚の大きさや、釣った魚の数の自慢をしあっていた。東京の家の近くの釣りは、一体何だったんだろう。本当の釣りの面白さが、なんとなくわかる気がしてきた。

東京で一人頑張っている父が思い出されて、哀れに思えてきた。氷の入った生簀からグルクンをバケツに入れている時、急に運天君がスーパーマンの脇をつついた。二匹のグルクンを指さしていた。二匹の魚は小さなところに大量に詰め込まれていたせいか、眼がつぶれていた。二人は顔を見合わせてうなずき合っていた。

「初めて見たよ」

「やっぱりいるんだな」

二人は興奮してほほを紅潮させていた。

「何なんだよ?」

二人は黙り込んでいたが、オジィが、

「キジムナーじゃ。魚の目ん玉が大好物な海の神様だ」

運天君が説明してくれた。キジムナーは木の中に住んでいて、沖縄に昔から言い伝えられてきた精霊で、人間には害がないが追い出したり、イジメたりすると怒り出す赤い小さな鬼のような者らしい。

「今度、キジムナーがいるといわれている木を見につれていくよ」

運天君が言った。感動なのか日焼けなのか運天君の顔は赤かった。

東京にいるとき、沖縄旅行ガイドブックの絵だけで見たことのある、興味深い生き物がこんなに普通に皆の心の中に生きているんだ。僕は煮魚の目が大好きだった父を思い出した。

今頃は何をしているんだろう。魚釣りの醍醐味を教えなければ。たった一度の釣りだけで、僕は何者? 反省、反省。

持ち帰ったグルクンの数に母も志織も驚いた。

「誰かに釣ってもらったの?」

「バカ言え。お兄さんが釣った貴重なグルクンだ」

母がすかさず、

「オジィがいい釣り場につれて行ってくれんだよ」

母はお見通し。

海の事、島の事、キジムナーの事、魚の目の事、話すと母はうれしそうに、

「お前もやっぱ〝ウチナーのハーフ〟海が好きなんだ」

志織はすぐに、キジムナーに反応した。

「キジムナーって何？　時々クラスの子が言うけど」

その説明は母が料理しながら教えていた。新鮮な大きなグルクンはお刺身。小さいのは、そのままから揚げ、家中にいい匂いが漂った。その間、すぐに正子さんに便りを書いた。

無論キジムナーがメインレポートだ。今度沖縄に来たときは良い漁場につれていくからと、いかにも自分が案内出来るかのように書いたが、正子さんが来た時、バレバレになるので、いい海人の友達と一緒にと、正直に書き直した。いつものように絵を描いた。釣りあげる前のグルクンの体色にした。食卓はグルクン一色、刺身、から揚げ、つくね、中でも丸々一尾のから揚げは骨までバリバリ、志織は、戸惑っていた。

「こんな硬い骨食べられないよ」

「何言ってんだ。縄文人は凍った魚や獣の骨をバリバリ食っていたんだぞ。だから顎が丈夫で四角い顔、お前の好きな寅さん顔が多かったんだ。今のキツネみたいな細い顔は江戸時代の軟らかい食生活が影響しているんだぞ」

何故か久しぶりのウンチクだったが、津波君や運天君の、活きた生の知識に接すると、味気ない気がした。ここは情報も生きて伝わっている。そして皆が共有して生活の中にあるんだ。

沢山のグルクンの残りは、翌日、母が職場に持って行った。多分、運天君ちのお母さんも持って来るだろうな？　母の職場の昼の食卓はグルクンだらけで骨をかみ砕く音でバリバリうるさいことだろうな？　翌日の学校の昼休み、勝手な想像をしていると、突然ジャイアンが、運天君につかみかかり、

「お前ら釣りに行ったんだって。なんで俺んちに持ってこないんだ？」

運天君は黙っていた。多分、僕の顔はグルクンになって、真っ赤になっていたに違いない。僕はジャイアンの腰にしがみついた、机が大きな音をたてて倒れて女子が悲鳴を上げた。ジャイアンの取り巻きが一斉に僕をめがけて襲ってきて、殴りかかってきた。

最初の一人をうまくかわした瞬間、先生が駆けつけてきて、

「又、お前か？」

そばにいた運天君を見て怒り狂っている。今日は絶対に言わなければ、

「先生違います。僕です。僕が見かねて仕掛けたんです」

先生はにんまりしながら、

「原因はやっぱり運天だろうが？」

「違います。ジャイアンが先に……」

僕は言おうとしたけど、運天君に止められた。先生が、

「とにかく二人は職員室に来い」

「なんで二人なんだ？　ジャイアンは？」

再度、言おうとしたけど、又、運天君に止められた。運天君の内に秘めた静かな抵抗は、
昨日、津波君が言っていた海を漂う孤独で、いざという時、全身の針を逆立てて立ち向かう強いアバサのようだった。

先生の後をついて職員室に行く途中、運天君が衝撃的なことを言った。

「あの先生とジャイアンは親戚。奥さんがジャイアンのお姉さんなんだ」

「そういう事か。それなら納得だな」

しかし許せない僕は職員室でグルクン興奮顔になって、怒り狂った。

「最初は僕たちの釣った魚を何故持ってこないんだと言いがかりを付けて、無抵抗な運天君に暴力をふるったのは平良君です」

「あのな、お前は知らんだろうけど、沖縄には〝ゆいまーる〟というのがあってな、もっている人が持ってない人にあげることになってるんだ」

「それは強い人が弱い人に分けてあげるという事でしょう。運天君はいつも平良君に弱い者いじめされてます」

琉球空手二段の先生の顔がグルクン状になって、大きな拳で机を叩いた。机には拳の跡がくっきり。そこへ教頭先生が来てなだめてくれたから、僕はまだ生き残っている。

帰り道で運天君が言った。

「琉球は昔から薩摩にいじめられてきた。だから琉球の強いもんは、いつかやっつけてやろうと、一段と武術に励み誇りが高く、燃えているんだ。先生もその血だな。許してあげなければ」

運天君が、その体型と眼鏡のせいか？　マホートマ・ガンジーに見えてきた。帰りはキジムナーがいるという木を見るために回り道をした。海からの風が心地良くサトウキビ畑が鳴っていた。サトウキビ畑の道は細く、両側から丈の高いサトウキビがザワザワ音をたてて迫ってきた。太陽はまだ高いのに、薄暗くなってきた。

「畑の中はハブがいるから気を付けて」

細い道をつき進むと、突然、道の真ん中に大きな木が行く手をはばんだ。木は枝からつるのような根をたらし、威厳のある古い大木だった。いかにも精霊が住んでいるような木だ。

運天君が木を見上げながら、

「ここに住んでいるんだよ。今日は呼べないけど、呼べる人がいるんだ。呪文があってそれを唱えると出てくるんだ」

「どんな呪文なの?」

「色々あるけど、皆違うらしい。それぞれに呪文が違うらしく、お互い教えないんだ」

運天君は小声で言ってくれた。

「オバァが言っていたのは、キジムナー、サーターカマヒー(砂糖やろうよー)って言うと来るとか、何かの本で読んだけど、イーユヌミーカマヒー(魚の目やろうよ)の方が良いかもな」

運天君がその呪文を大声で唱えないのは、今ここに砂糖も魚の目もないから、だまして怒らせると大変なことになるからだという事だった。普段はやさしいキジムナーも怒ると火事をおこしたり、家に災いをもたらしたりするらしい。二人はただ目の前のガジュマルの木を見上げるだけだった。しかし、風に葉がかすかに揺れたり、遠くの車の音などが聞こえてくると、この木にはキジムナーが本当に居て木から飛びおりて来るような気配だった。ここ沖縄には、いろいろな楽しいものがいる。まるで本物いっぱいのテーマパークだ。正子さんにも伝えなければ。

ここ沖縄には、僕の知らない楽しい事だらけで一日が短すぎた。テレビも見ず、本も読まずに今日の出来事だけを、繰り返し思い出しているうちにすぐに眠くなってしまい、今、東京に戻るときっと、ズボンをはいた百科事典を返上して、新米沖縄実体験少年の方がふさわしいと思うようになってきた。今日が面白く、そして又、〝明日が面白くなるぞ〟の連続で、正子さんには今日のことを報告する冒頭には、ここはもう〝今日が面白く、明日も面白くなるぞのテーマパーク〟の連続で、是非夏休みに来てくださいと、書くことに決めた。

ここしばらく、あのスーパーマン津波君が学校を休んでいるのが気になっていた。

きっとオジィの海の仕事が忙しくなって手伝いで休んでいるんだろうと思っていたら、オジィが脳梗塞で倒れ、母の病院に担ぎこまれたとの事だった。

学校が終わってから、運天君と見舞いに行くことにした。津波君が心配そうにベッドの傍にいたけど、幸いオジィは元気だった。病院の近くのスーパーでグレープフルーツやバナナの入ったお見舞い用の果物詰め合わせを買って行ったけど、オジィは果物は食べないらしく、結局は二人で全部食べてしまった。

「わしは泡盛とモズク以外は、飲まんし食わんぞ」

そう言って看護師さんを困らせているらしいのだ。

「今度の大潮の時、浜遊びに行こうか？」

津波君が言った。

「そりゃいいなー。オジィにアーサーやらチンボラー食べさせて元気になってもらいたい」

何のことか分からないままうなずいていると、津波君が、クックッと笑い、

「チンボラーって、わかってんのか？　サンゴ礁の忘れ物を取りに行くんだ。楽しいど」

よくわからなかったけどサンゴ礁の忘れ物？　聞いただけで楽しそうだった。

「大潮の浜遊びというのは新月や満月の前後に、潮が引いてサンゴ礁の中に逃げ遅れた魚

やイカがいたりしているのを手づかみするんだ。それに貝や海藻を採ったりする、楽しい海遊びの事なんだ。ハマウイとも言って、昔から女性は素足で砂を踏み海水で気を清める言い伝えもある日だよ。妹もつれて来ていいぞ」

運天君が説明してくれた。

「ウン。きっと喜ぶよ」

母の許しが出るか、少し不安だったけど、間違いなく、海ガールに変化してきた志織は喜ぶに違いないと思った。夕食後、母に話すと、

「楽しいよ。海にはまだまだ美味しいものがいっぱいあるんだよ。ハマウイだね。志織も一緒につれて行ってもらいなさい」

志織は大喜び。何を着て行くのが良いか、おにぎりにはみそを塗ってとか、母に注文していた。

「そうそう、二人ともウニやアンボイナ、オコゼもな、踏んだらいかんよ」

そういえば運天君も言っていたな。猛毒のアンボイナに刺されて死ぬ人もいるから注意しないといけないんだよ。そういえば父と母の縁結びがアンボイナだったな。僕は靴底の厚いスニーカーを準備した。妹には母の靴の中敷きを切って入れてやった。準備万端、胸

をワクワクさせて大潮の日が来るのを待った。

　この日の大潮は、昼過ぎが最高の潮が引くときらしく、我々は潮が引く前から浜で弁当を食べたり、おやつを食べて時を過ごした。他の何組かの家族も浜に来ていた。

「オジィが家に戻ったけど、薬だと言って、また泡盛をがぶがぶ、心配なんだ。まだ病院に預かってもらっとけばよかった」

　津波君が心配そうに言った。春の海の日差しは強く、潮が引いてゆく沖の波は白く輝いていた。

「今日はオジィに生アーサーや貝持っていこう。それであまり泡盛飲むなって。しかし泡盛は体にいいと聞いてたけど」

「オジィが飲むのは強いやつで、俺なんか匂い嗅いだだけでひっくりかえるくらいさ。それを、又、がぶがぶ、時々隠すんだけど探し出して飲む」

　二人はいつもの島のから揚げ、僕達はみそおにぎりの昼めしが終わり、潮の引いたサンゴ礁に繰り出した。その前に運天君は、

「いつまでも清らかで美しい女性でありますように」

　と言って志織に靴を脱がせて潮だまりに足をつけてくれた。

津波君は、

「アンボイナ、オコゼ、タコ、に注意！　見つけたらすぐに知らせろよ。リーフから外に出るな！　水のたまったサンゴ礁の穴には必ず何かいるから、食えそうなものは捕れ」

津波君は銛とゴーグルを持ち、僕らには網や、魚を入れる網の袋をそれぞれ渡してくれた。志織は最初、水が引いたサンゴの岩礁に戸惑っていたけど、潮だまりにいるルリスズメの群が現れると、自分からサンゴ礁の穴を探し始めた。最初の獲物はやはり津波君でサンゴ礁の潮だまりにいた甲イカを銛で突いた。スミを吐き真っ黒な丸みを帯びたイカだった。

小さなタコがいた。タコは危険なのがいるらしいので津波君を呼んだ。手では、取るのが難しく、見かねて津波君が銛を貸してくれた。最初は失敗ばかりだったけど二匹ほど小さなタコを採った。運天君は網で小さな魚をすくっていた。

志織は岩についた海藻、アーサーや砂地の貝を掘っていたが、小さな二枚貝を持ってきて津波君に食べられるか聞いた。津波君は貝のことはよく知っていた。

「これはイソハマグリ。リュウキュウナミノコ。それからこれチンボラー。男子のおちんちんという貝で食べられるからいっぱい採れよ、ほれ兄ちゃんのおちんちんの形してるな」

前に津波君はチンボラーのことを言っていたな。志織は真っ赤になって〃バカバカバカ〟津波君を網を振って追いかけた。運動会でもあんなに走った志織を見たことがなかった。沖縄の海や風や空が海の食物を僕達に分け与え、そして僕らの健康も恵んでくれているんだ。貝やタコやイカ、そして小魚をバケツやかごにいっぱい入れて、津波君の家に行くことにした。オジィが出てきて、

「大漁大漁。あんたはお母さんの若い頃によう似てる」

志織を見て言った。

驚いたことに志織は、

「お母さんも、若い時はこんなに美人だったの?」

冗談で返していた。

こんなに元気に妹の健康を回復させたのは何なんだ? 沖の方から風が吹いてきた。その風は潮の香りと太陽の香りがした。砂浜には裸の子たちがチンボラーをフリフリ駆けていた。

オジィの家には、何故か運天君のお母さんと母が来ていた。

「今日はオジィの快気祝いを兼ねての海の恵み、命のパーティーです」

大げさな母は少しおどけてオジィに拍手した。続いて全員が拍手した。

「わしが行っとったら、もっともっと、これくらいは採れてたな」

オジィは照れ隠しで両手をいっぱい広げ、空を仰いだ。夕日で顔が赤いのか照れて紅潮しているのか？　それとも酔っているのか？　母が、

「貝をゆで、イカ汁でも作ろうかね。アーサーもあったね」

運天君のお母さんが、

「小魚はから揚げ。スクは少ないけど、スクガラス作っとくからね。ご飯はタコライスで良いかね」

僕は目の前の小さなタコが入ったバケツを持っていこうとすると、志織が急に笑い出し、

「沖縄のタコライスは、スパムかミートとレタスをのせたご飯。常識よ！　なんでも知ってると思っていたのに、兄ちゃん少し腕が落ちたね」

「なんでお前が知ってるんだ。うちの家で食べてないぞ！」

「これはね、ここから近い金武町の学校給食で出されて有名になった、メキシコ風アメリカ料理です。私の学校の給食でも時々出るから」

ウン、志織もあなどれなくなってきた。運天君はそばでニヤニヤしながらうなずいていた。ゆでたチンボラーやイソハマグリは海の匂いがした。

そのゆで汁の中にアーサーを入れたお吸い物も出た。小魚のから揚げや、真っ黒なイカ汁も出された。オジィはイカ汁は飲まなかった。サンゴ礁の忘れ物のオンパレードが始まった。オジィは泡盛を呑んでいた。普段、津波君に止められていた度数の強いのではなく、体に優しいと言われている物だった。

「皆、来てくれてありがとうよ。うれしいよ。うれしいよ。」

オジィは泣き出しそうだった。

「こうして皆で飲んでいると、昔を思い出してすぐに酔っぱらうけど、一人だとナ〜」

皆、一瞬、静かになったけど、津波君が、

「オジィ、大きくなったら酒盛りのお相手を毎晩するからな」

津波君の歯や唇は、イカ墨で真っ黒になっていた。

「それにしてもタカちゃんの娘はあんたの子供の頃そっくりじゃね。お父さんに怒られてフクギの木の下でよう泣いとったのお〜。それが今ではお母さんか。わしも年じゃな」

「オジィはまだまだ老け込めないよ。正吉を一人前の海人にしないと」

運天君のお母さんが言った。

「そうじゃ。お前の亭主がもどって来たら、一発食らわしたらな？」

少し静かになって、食べ残した貝殻や魚の骨が庭に敷かれたゴザに散らばっていた。東京では、こうして近所の人や学校の友達と過ごした事がなかったし、親それぞれが暮らしてきた人生を語る人もいなかった。母たちは後かたずけをし、寝込んでしまったオジィに、津波君が布団を敷いて三人でオジィを布団に運んだ。八十八歳のオジィは意外に重く、体から海の匂いが絞りだされていた。

家に帰って父に電話を掛けた。大潮のハマウイの事や母の子供の頃の事、途中で志織が受話器を取り上げて、

「お兄ちゃんの自慢、ズボンをはいた百科事典は、もう返上するとの事です。最近は私の方がスカートをはいた百科事典になりました」

元気に言い放って、母が大笑いをしていた。今日の楽しかったことを早速、正子さんに書こうと机に向かった。最初はチンボラーの貝の絵を描きかけて途中でやめて、東京の蛤と形の違う沖縄の蛤の絵を描いた。

そして、本やネットで見た知識より生きた知識が如何に大事で、ここの暮らしの中では知識や経験が如何に大切かを教えてくれている事を書いた。

そして、そんな訳でディズニーランドやらテレビゲームがないけど楽しく過ごしている

事も書き添えた。次の日は雨、底抜けに明るい青空からなまり色の空になると、何故かさみしい。昨日の海の恵みが、あの鉛色の海の中にいるとはとても思えなかった。

教室では運天君が一人、星座表を見ていた。

「今度、星を見に行こう。まだ君の見ていない星の島があるんだ」

ヤンバルの森で陶器を焼いているおじさんに、つれて行ってくれるように頼んでいるらしい。家の近辺で見る星も東京の星に比べればとんでもなく美しいのに、まだ僕に見せたい星の島があるなんて、楽しみだ。母に聞いてもそんな島は知らないけど、ただ観光地で有名な砂浜の砂が星の形をしている島は知っているとの事だった。

運天君がそんな島の砂に興味を持っているとは思えず、多分、南十字星が少し見える島なんじゃないかと思ったけど、有名な南十字星の見える島はここから随分遠いはずだし、一体どこに、何があるんだろう。一日中期待を巡らし、その日の数学の問題は、頭に入らず何もわからなかった。今頃は東京の友人たちは塾と宿題に明け暮れているんだろうな。

そう思うと少しは取り残された気持ちになりそうなのに、僕はまだ見ぬ星の島への期待が強く、そんな気持ちは全然起こらなかった。ここはガジュマルを守る精霊やらヤンバルの森にひっそりと生活する鳥やら、それを大事にする人と自然がお互いに認め合って生活しているんだ、多分太古の昔から、人はそうして生きてきたんだろう。そう思うと学校やら勉強はなんだろう。しかし、一方では自然の情報やら経験やらを生活に役立たせるために、学習しておかなければならない必要性も理解はできるし、自然のままに生きていた時代でもそれなりに勉強をして身を守っていたんだろうと思うと、「お勉強は大事ですよ」という子供の時からの母の言葉が脳みそを駆け巡る。ここの生活が何かやらなければ、何か見なければ、以前は嫌っていた数学やら理科の教科書を自然に開かせてしまう力が残っているのかもしれない、その辺がまだ中途半端な僕の持つ都会の脆弱さが捨てきれていない。そう思うとまだ僕の心は本物の自然人ではないし、野生人のたくましい肉体とはかけ離れていた。都会を離れて、まだまだ時がたたないけれど、ここ一番、頑張ったら何とかなるかな？　少し楽観的な期待のようなものが盛り上がってきた。〝多分未来は面白くなるぞ〟そんなことを考えて眠りについた。

そんな毎日をよそに、津波君が、又、学校を休んでいた。オジィの具合が悪いのかもしれない。母に電話したらやはりそうだった。学校の帰り道、運天君と病院に行った。広い病室の患者はオジィだけで、そばに津波君が寄り添っていた。学校が気になっているのか英語の教科書が開いたままになっていた。僕たちを見て、「ヨッ」と、声をかけてオジィが朝、海に行こうとしてまた倒れたことを、詳しく説明した。前日、あの大潮の恵みパーティーのお返しに、もっと大きな魚を取って、皆にお礼しなければと、勇んで出て行こうとした時に倒れたらしい。運天君が、

「こんな時、大変だから無理だろうけど、次の土日で星を観に行くけど」

津波君が、

「残念だけど駄目だな。しかし、これが本当の星空だ！　と言う、「This is iland star. を東京もんにしっかり見せてやってよ」

津波君の英語にびっくりしたけど、そばで眠っていたと思っていたオジィが急に、

「その英語はわからんぞ。「They are the stars in this iland.」

流ちょうな英語を話しだした。

「オジィは昔、遠洋漁業で世界中の国々に行っていたから、英語とスペイン語が出来るんだ。それで時々は家庭教師になってくれるんだよ」

津波君はすこし誇らしげだった。

津波君のオジィはすごい、この人は生まれたときからずっと沖縄から出たことが無いと思っていたら、なんと外国にまで行って魚を捕っていたなんて！

「海は世界中とつながっている。その先を目指していたら、いつの間にか世界中の海で魚を追っていたんだな。琉球人は昔から海からは離れられん」

そして津波君に向かい、

「これも海が好きで、親の元に行かんでここにおるんじゃ」

津波君は首を横にふって、何か言おうとしていたがやめた。

すぐに運天君が、

「オジィ、違うよ。津波君は海も好きだけど、一番好きなのはオジィなんだよ」

と言ったけど、オジィはすぐに眠ってしまっていた。

津波君のお父さんは子供の時、いつも遠洋漁業に出るお父さんがいない寂しさを味わい、漁業の道を歩まなかったらしい。病院からの帰りは母と志織と一緒になった。母は病院から早くオジィを家に戻した事を心配していたらしい。

「大阪からまーちゃん、帰ってこないんかな」

津波君のお父さんの名前は正一と言うらしい。お母さんは大阪の人で、うちの母はあまり知らないと言っていた。

いずれにしても両親が帰ってきてくれたら、津波君も安心して暮らせるのに世の中はうまくいかないもんだ。なんか爺臭い考えに浸ってるように感じ、帰りは三人で最近開店したピザハットで食べようと提案した。母は渋っていたけど、志織が大喜びで、東京でもよく食べたピザを食べながら、お台場あたりのネオンを思い出した。店の外には野犬が何匹かたむろしていた。

家に帰ると、正子さんから手紙が届いていた。中を見ると、文章はなく手書きのハイビスカスの絵を送ってくれた。ハイビスカスは何故か花びらが六弁だった、正子さんにしては珍しいことだ、いつも実物や写真を見て丁寧に写生する人なのに、どうしたんだろう。すぐに僕は隣の家の庭に行って、咲いているハイビスカスを一輪頂いてきた。押し花を作ることを思いついたのだ。ティッシュを使い本に挟む方法や、アイロンをかける方法もあるし、志織の持っている乾燥シートを使うのもきれいだけど、早く送りたいので、電子レンジを使うことにした。段ボールを切ってその中にティッシュに挟んだ花を入れて段ボール紙に挟み込んでレンジに入れる、母は不思議そうに見ていたけど、何も言わなかった。昔、死んだトカゲや蛇や昆虫を冷凍庫に入れて標本を作っていたのに比べれば、これくらいの子供の奇妙な行動にはならされているんだろう。一分くらいで出来上がり、ハイビスカスの赤い色が残っていて、きれいな仕上がりになっていた。花弁の事は書かないで、オジィが英語が堪能だという事と、ピザハットが出来て食べたこと今度の土日で星を見に行く事などを書いた。それにしても、最近、正子さんは勉強が忙しいのか、文章を書いてくれないのが少し寂しい。押し花が壊れないようにファイル用紙でカバーして注意深く送った。

梅雨の先触れか、翌日は曇天だった。曇天の日は海の色が鉛色に見える。海の中の魚たちも晴天の日のブルーが変化しているのが分かるのだろうか。浜辺に押し寄せてくる小魚の姿が今日は見えない。運天君が教室中の机や椅子の上を見ながら、歩き回っていた。

「何かなくした？」

「大事な『必ず見つかる星空の本』がないんだ、机の上に置いたんだけど」

教室の隅でジャイアンの仲間たちが、面白そうに見ていた。多分だけど、彼らの仕業に違いない。だけど証拠がないのが致命的だ。

「おい君達知らないか？　運天君の大事な本なんだ」

「知らんよ。おれらが盗んだというのか？」

険悪な空気になってきた。

自分の顔色がグルクン色から青ざめて行くのが分かった。その時、学級委員の女子が、

「あんた達さっきどこかに本を持っていったね」

言われて一人がさっき便所で本があったの見たぞと白状した。しかし、「誰がやったんだろうね？」

僕の顔色がグルクン色になる前に、運天君は便所に走って行った。僕も彼の後を追った。便所の窓に本は挟んであった。急いで教室に戻ろうとする僕の腕を運天君がつかんで、

「やめて！　本がもどって来たからいいんだ」

学級委員の女子にお礼を言おうと教室に戻ると、彼女はジャイアンの仲間たちとにらみ合っていた。運天君が小さな声で、

「園子さんありがとう。本は無事だったよ」

学級委員の女子は園子さんと言うらしい。彼女の胸ポケットのハンカチは沖縄の海の色だった。

それにしても園子さんは、なぜあんなに強いんだろう？　沖縄には男子の入れない聖地が数多くあるということをテレビで見たことがある。そして人が神と話すことができるのは、特別な能力を持った女性（ノロ）だけが神と交わることができ、神事の全てを司るとの事だった。この辺の詳しいことは、いつか運天君に聞こうと思っているが、彼は鳥や星の事で忙しいらしいので控えている。園子さんは、伝統的な沖縄の強い女性のＤＮＡを持

っているのかもしれない。テレビで観た海から押し寄せる、猛毒のウミヘビを手づかみで捕る久高島の神職の女性は、いったん獲物を全てノロに捧げ、分けてもらっていたのだそうで、男性は除外された完全な女性上位なのだ。運天君は見つかった星の本に夢中だった。

「運天君はなんでも知ってるから、イジメられるんだね。これは一種のジェラシーというやつかな？　まぁ〝出る杭は打たれる〟っつうやつかな？　しかしあんたは出たがりじゃないよね」

園子さんが運天君の薄い背中を見ながら言った。それはお母さんがわが子を見るような目だった。今頃、正子さんはどうしているんだろう。最近は文章の便りがないからか、何故か急に寂しい。外は雨が降り出した。海は灰色、煙っていた。こんな日は頭が痛くなり、背中がキシキシとなりだす。東京にいた時も雨の日は、一日中、布団をかぶって寝てしまいたい気分になり、特に暑くもなく寒くもない春の雨は大嫌いだった。今度の土日の天気は大丈夫かな？　家に帰り、少し沖縄の事を書いた本を読んだ。母の本棚にあった本で有名な芸術家が書いた文化論だった。本来なら中学生が読む本ではないかもしれないけれど、こちらに来てあまりにも何も知らないので、ズボンをはいた百科事典の名誉にかけて読むことにした。

それによると日本の古い時代、神と交わるのは女だけの資格であったらしい。そう言えば卑弥呼は女性だったな。日本の原始宗教の司祭は大体女性だったらしい。

何となく予言やら占いを司る人は、女性が似合っているように思った。沖縄には未だ、その伝統が残っていると、その本は書かれていた。そういえば正子さんも園子さんも、僕らみたいなどうしようもない男子に優しく接してくれて、クラスの悪たれなんかも一目置いているので、沖縄だけでなく日本本来の女性は強いはずだけれど、いつの時代から変わっていったんだろう。武士の支配する滅茶滅茶な戦国封建時代からかな？　これは僕の身近な問題として追及しなければ、そんな事を考えていると、この本に書かれている斎場御嶽や久高島に行ってみたくなった。しかしこの本には女性が重要な役目を担っていたのとは裏腹に、辺境の島の女性たちの口減らしの風習やら、明治まで続いた人頭税の厳しさなども書かれていた。そしてその歌は、だれもが一度は聞いたことのある有名な、〝チィンダラ節〟だと書かれていた。この民謡は人頭税として、離島開発に駆り出された恋人との別れを歌った八重山の女性の民謡だ。

トゥバラマトゥ　バントゥヤ
カヌシャマトゥ　クリトゥヤ
イミシャカラ　アサビトウラ
クユサカラ　ムチィリトウラ

（喜舎場永珣『八重山民謡誌』）

この歌は延々と19番まで続いていた。

最初の意味は——貴方と私とは、愛しい人とわたしは幼い頃からの遊び仲間で昔からの仲睦まじい友達で……今はあなたは、王様に遠くの島に行かされてしまった。もう逢うことは出来ない。

この本の中でショックだったのは小さな島では耕地面積が小さく、人口を減らすために、妊娠している女性を海に突き出ている断崖の割れ目をジャンプさせ、飛べた人だけが生き残る事や、完璧な芭蕉布を村全員の責任で収めさせたこと、等。一番ひどいのは、島の人々が外で働いている最中、なんの前ぶれもなく、いきなり太鼓の合図があって、あらかじめ仕切られた場所に逃げ込むことを命じられる。この仕切られた囲いの中は狭く、当然、押しくらまんじゅう状態になり、はみ出た者が、死罪になるという。小さな島では残酷な口減らしの風習があったと書かれていた。以前、ユーチューブで見た園子温監督のホラー映画を思い出した。内容は突然新日本国の王様が、佐藤姓が多すぎるので佐藤姓の人間狩りをするとか、高校で突然ベルが鳴るとゲーム好きの王様にやとわれた鬼が逃げ遅れた生徒を惨殺するという滅茶苦茶なストーリーで、その時はありえないとバカにしていたけど、この〝リアル鬼ゴッコ〟の冗談ではない本当の話があったなんて？　いつも見ている、底抜けに明るいコバルトブルーの奥には、悲しみも沈んでいる青があり、人は悲しい時、青色は見えないと言われているが、悲しい宿命を背負った辺境の島の人々は、青い海を永遠に見なかったのかもしれないと思うと、この海が神秘的で悲しい青に見えてしまう。

土曜日は快晴になった。那覇の港にヤンバルのオジサンが待っていた。オジサンは運天君のお母さんの弟で比嘉さんと言った。しかし、沖縄では比嘉と言う苗字が多いので、名前の健司で覚えておくこと。陶芸家で森で暮らしているけど、月に数回は海に出ないと調子が出ないらしく、漁の手伝いやら、島のガイド等もしている事など、運天君が説明した。

ヤンバルの森で見たオジサンと違い都会風の恰好をしていた。オジサン、オジサンと言うと、

「こっちでよく見かける魚のオジサン（ヒメジ）の名前は、あごの下に生えてる二本の髭がオジサンみたいだから、ややこしいので健さんと呼んで……」

と言って、

「魚のオジサンは英語でも、髭があるからGoatfish山羊魚っていうんだよ」

なるほど、さすが運天君の叔父さんだ、色々教えてくれそうで楽しみだ。大きな60人乗りのクルーザーに乗って、まず無人島へと出港した。高速で飛ばす船は30分くらいで小さな島に着いた。そこは観光のためのロッジが一軒あって浜にはサンデッキが並べられていた。まだ海遊びには時期が早いのか、砂浜の観光客はまばらだった。健さんは島の知り合いに銛や水中メガネや毛布、水、そして船外機の付いたモーターボートを借りて又海に出た。この船は小さく、さっきまでのクルーザーは波を弄ぶように走っていたけど、この小さな船は波にもて遊ばれるように走っていた。運天君と僕はボートが大波を横切るたびに波をかぶり大声を出していた。島は最初の島から東に、40分くらい走ったところにあった。島には何もなく周辺にも何も見えない。全くの無人島だ。健さんは浅瀬に飛びおり、船を浜辺まで曳いて、僕達を降ろしてくれた。船の荷物を全ておろし終えたら急にお腹がへっ

てきた。健さんは我々にサンゴの浜辺の貝や釣餌の岩ガニを集めるように言って、水中メガネを着け、まだ冷たい海に銛を持って入っていった。夢中で貝や岩ガニを採っていると、急に健さんが海から上がってきた。手には数匹の大きな魚を持っていた。

「大漁、大漁！　流木を集めてくれ」

二人はロビンソン・クルーソーの忠実なフライデー、楽しくて胸がわくわくしていた。流木を集め終わると今度は、

「貝を少し残して、海水につけておいて」

健さんは魚をさばきながら、時折、その切身を口に入れ、てきぱきと我々に指示を出した。沖の方に鳥が群がっていた。運天君は、

「あの鳥の群れの下にはたくさん魚がいるゾ」

と少しく赤くなっていた顔は、興奮なのか、日焼けかよくわからなかった。

ゆでた貝の身をほじくりだすように言われ、どんな料理になるのか楽しみで、単調な仕事も全然、苦にはならなかった。この小さな島に我々だけがいると思うと、この世の終わりの生き残りのような気がした。健さんは流木に火をつけて、鍋の中に缶詰めのクラムチャウダーを入れ、牛乳とむいたジャガイモや、浜辺の貝を入れた。主食はフライパンで焼

いた魚のサンドウィッチ、サンゴ礁の岩に付いたアーサーを混ぜたマヨネーズを、たっぷり塗ってくれ、贅沢なとれたてフィレ・オ・フィッシュサンドだった。貝いっぱいのクラムチャウダーもおいしかった。東京で食べたマックやモスのより美味しく、満腹でしばらくは動けなかった。

後で聞いたんだけど、健さんは東京の美術学校を出て、一年だけデザイン会社にいて沖縄に戻って来たらしい。この海を見て育った人は、やっぱりこの海に帰ってくるんだ。

僕だってもうこの海の虜になっている。

人間、誰も生命は海から出てきたんだから、海が好きなのは当たり前だけど、この目の前の海は、さらにたくさんの食べ物を我々に提供してくれている。

「一休みしたら晩飯のおかず採り、釣りをするぞ」

健さんは我々に竿を渡して、残しておいた生きた貝をつぶして餌にするようにと言って、自分は砂浜で寝こんでしまった。

「もともと生命の起原が海からだと言っても、普通の人はそんなに長時間、海に潜っていられないんだ。とても疲れるらしい。しかし沖縄の海人はすごく長い間潜っていられるんだよ。海の中で呼吸しているって聞いたことがあるけど、本当かな？　本当だとしたら人間の故郷は太古の海という事になるな」

運天君が言った。しかし、

「僕のお父さんは全然泳げないし、水に入ろうともしない。風呂も嫌いでお母さんによく怒られているんだ」

と言うと、

「君のお父さんの生命の故郷は宇宙かもしれないな。僕は地球の生命の起原には二通りあって、一つは海、もう一つは宇宙のどこかからやってきたのだと思っているんだけど」

なるほど、クロマニョンやネアンデルタールの混血などが今の人類をつくり出しているのかもしれないと言われているらしいから、突飛かもしれないけど、もしかしたら太古の時代、海からやって来たものと、宇宙からやって来たものが混血になるという事は根拠のない話でもないかな？　貝をつぶして釣りを始めたけど、釣れる気配がなかった。いつかのあのグルクン釣りのようにはいかなかった。健さんは起きてきて流木で柱を立て、布で屋根を作り、その下で又眠ってしまった。少し海からの風が吹き始めた。突然、運天君の竿がしなって、運天君はリールを巻き始めた。運天君の真っ赤な顔と、海に引き込まれそうなへっぴり腰で、獲物はとてつもなく大きな魚らしい。いつの間にか健さんが網と銛を持って海に入って行った。健さんの網の中にはブダイが入っていた。浜に上がったブダイの針を外そうとした運天君を、健さんが止めた。

「ブダイの歯は強いから、下手したら指を食いちぎられるぞ」

明日の食糧確保完了。これで生き延びられるな。太古の人もこうして安心と不安で生きていたのだろうか、しかし、海から上がってくるこの貴重な蛋白源に海や空や風に感謝し、祈りをささげたい気持ちも、なんとなくわかるような気がする。我々は十分に食糧があるにもかかわらず、こんな気持ちになるのは、いったい何故なんだろう？

健さんは「チバリヨ、チバリヨ」そう言いながら、包丁でとどめを刺し、内臓を採って海水できれいに洗った。

「このブダイは大丈夫だけど、ブダイの中には毒のあるやつもいるから用心しなければな」

健さんがそう言ったとたん、僕の竿がしなった。魚が右に行ったり左に行ったり、僕の体は浜から海の中に引き込まれて、健さんが海に入って魚を網に入れた。引きが強いので有名な魚でフエフキダイの仲間の魚だった。

「これだけあれば、晩飯のおかずは大丈夫。ご飯を炊いて、アラ汁を作って、明るいうちに食事、食事」

運天君と、又、流木集めを始めた。その合間合間に、僕は目についたきれいな貝だけをポケットに入れた。沖の方に帆を張ったクルーザーが一艘、大きく傾きながら波を切っていた。

運天君は磁石で島の正確な方角を調べ、夜の星観測に備えていた。健さんは洗ってきたコメを飯盒に入れて火にかけ、あとは魚の骨や頭と、浜で採ったアーサーも入れたアラ汁を作った。さらに刺身、海水をかけた天然塩の焼き魚と豪華絢爛の夕食の用意が出来あがった。

「おい二郎、お前もいい友達が出来たな。オジサンはうれしいど」

ここではオジサンと言ってしまって健さんは、すぐに、

「オッとオジサンじゃなかった。健さんだったな」

「それじゃ、オジ健サンがいいかな？」

運天君がこんなにも明るく冗談を言うとは驚きだった。

「鈴木君、これからも二郎にいろんなこと教えてやってな。ずっと仲良くしてやってな」

こちらこそ色々、教えてもらって、もっともっと、新知識を仕入れさせてもらわなければならないのに、なんか恥ずかしくなった。午後になると沖の波が白くなって、うねりが

大きくなってきたようだ。しかしリーフの中は静かでサンゴ礁の浅瀬では相変わらず、ルリスズメダイが場違いの色の美しさで群れていた。昔、通った銀座のはずれにある、熱帯魚屋を思い出した。あの水槽にいた熱帯海水魚はこんな海から、はるばる来たんだと思うと、いじらしくなってきた。運天君は星の本を熱心に見ていた。僕は健さんの作った屋根の下の浜で、少し眠った。目が覚めると誰かが変な歌を口ずさんでいた。

あかいめだまの　さそり
ひろげた鷲の　つばさ
あおいめだまの　小いぬ
ひかりのへびの　とぐろ

オリオンは高く　うたひ
つゆとしもとを　おとす
アンドロメダの　くもは
さかなのくちの　かたち

大ぐまのあしを　きたに
五つのばした　ところ
小熊のひたいの　うへは
そらのめぐりの　めあて

宮沢賢治の星めぐりの歌だった。運天君が歌っていた。

「その歌、いや宮沢賢治全てが大好きだ。何故かわからないけど、古いけど新しいところがかっこ良い。小学校の学芸会で音楽劇みたいにして〝風の又三郎〟やったよ、三郎は何故か女子でクラスで一番の正子さんという子で、僕は村の子のその他大勢」

「星めぐりの歌は兄が中学校の合唱団だった時、家でこの歌よく練習していたんだ。それで自然に覚えてしまったんだけど、今は、星の事が少し分かってきたので、不思議な歌だってことが分かってきたよ」

運天君が言って、少ししんみりしていた。

「サァ、めし、めし、明るいうちに食べないと何を食ってるのか、わからなくなるぞ」

健さんは鍋を叩いて、明るかった。刺身や焼き魚は自分たちが釣ったものだと思うと、美味しいというか、あの釣った時の感じが蘇り、さっきまであの海で泳いでいた魚だと思うと、口の中で不思議な感触がした。海水をかけて焼いた魚の味は特別美味しかった。

太陽は水平線に近づき始めていた。オレンジに色づき始めた空に鳥が十羽程飛んでいた。

「あの鳥は何？」

運天君に聞くと、

「遠くてよくわからないけど、旅の途中のシギかな？　沖縄では干潟や湖でカニや昆虫を食べているんだけど」

「シギか、父が京都に行った時、シギ焼きという料理が出てきて、てっきり野鳥料理だと思ったら、ナスのみそかけが出てきて驚いたというので、調べてみると、昔はナスの中にシギを入れた料理があって、今は野鳥を食べるのを制限しているので、ナスと料理名だけ残ったという事だった。しかし、シギは美味しい鳥だったらしいんだ」

太陽は水平線に接触し始め、海に光の帯を敷いていた。

健さんが、

「食べ残しは袋に入れ、食器はきれいに洗っておくように、島を汚すな」

僕たちは慌てて命令に従い、懐中電灯を準備して寝床を作った。

太陽は半分、海に隠れはじめて、気が焦っているからかもしれないが、波の音がやたらと高く聞こえるように感じた。太陽が消えると、島は真っ暗、炊事の時の残り火が少し見えていたが、それもやがて消え、鼻をつまれてもわからないというのは、こんな時の言葉なんだ。

しかしヤンバルの時の暗闇と違い、波の音に囲まれて自分の顔も体も黒色の中に塗り込まれ、消えてしまったようだ。運天君が大きな声を上げて、

「空を見て、星星星、あれがティンガーラ、天の川」

空を見上げると、大宇宙の全ての星という星が全部、降り注いできた。

星と星の間にも星があり、これはどんなＣＧ映像のＣＭよりすごかった。

そして決定的にそれらと違うのは、ここの星たちには一つ一つ、生命があるように輝いていたことだ。

砂浜にマットを敷き、空を見上げていると、時折、長い流れ星のような光が流れていた。

「あれは、流れ星？」

「いや多分人工衛星だな」

「いつもテレビで人工衛星からの地球を見ているけど、今日は地球から人工衛星を見てい

るんだ」

僕はちょっと感動した。

運天君は宮沢賢治の〝星めぐり〟を歌いだした。

「この歌のサソリは南の方角のあれ。鷲は東のあれかな。ヘビや、青い目玉の小犬はおお犬座のシリウスの事なんだよ」

と運天君は説明してくれ、さらに、

「小熊の額の上は、空のめぐりのめあて、というところがよく分からない、多分北極星がめあてだとすると、小熊座の尾の先だと思うんだけどな」

運天君が、本当に星が好きだという事がよく分かった。

「今、見ているシリウスの光は約八年半以上前の光らしいね。エジプトではナイル川の氾濫をシリウスで知ったらしいし、星の伝説の多いアフリカのドゴン族は土星のリングやシリウスに衛星が存在することを、神話伝説で伝えていたらしい。どうやら大昔、彼等の目は天体望遠鏡だったのかもしれないね。これは嘘だけど、視力は抜群に良かったらしい」

以前に大阪の博物館に、父と行ったとき、アフリカの色々なお面を見て、北アフリカのドゴン族と言う興味深い民族を知って、ここで思い切り、全力で知っている限り、ドゴンの星伝説を運天君に披露した。運天君はその話を知らなかったらしく、少し驚いていた。

「サソリやヤギやヘビなんかの星の名前は誰がつけたんだろうね？」

運天君に聞いても知らなかった。

「不思議だよね。ズ〜ッと、一年中星を眺めていないとつけられないね」

健さんは、我々のヒソヒソ話が気になったのか、起きてきた。

「オジさんもそんなに詳しくないけど、五千年くらい前、メソポタミア地方の羊飼いたちが満天の星を眺めながら、星々の配列を動物や英雄たちの姿に見立てて星座を作ったという事らしい。その後、紀元前ギリシャの天文学者が北天上に星座を定め、十六世紀の大航海時代には南天にも新しい星座を定めたという事らしい。現代では国際天文連合が、さらに新しい星座を追加したらしい。沖縄では昔から外国への航海が盛んだったから、星の呼び名や雲などは、航海の時に使っていたから色々あるよ。例えば、宵の明星、あの夕方等に出る大きな赤いやつ、金星を〝赤星〟満天の星空を〝群星〟群れ星、横にたなびく横雲を〝貫雲《ぬきぐも》〟と言って、那覇を出港する貿易船が大自然――神――に見守られている証でもあったんだよ。昼に那覇港を出た船は島から遠く離れた、大洋のまっただ中、やがて夕暮れの空に三日月、これは神の弓、金星（赤星）はヤジリ、そして満天の星（群星）は神の髪飾りで横雲（貫雲）は神様の帯だと、大自然（神）を敬い、航海の無事を願っていたんだ」

健さんの話は長かったけど、面白く、沖縄が古くから海にしたたしみ、海を愛し、海を大事にしてきたこと、大自然を大事にしてきたこと、さらに宇宙が神であると信じ、敬ってきたことがよく分かった。風はなく星は僕たちの顔や手に降り注ぎ、二人は星に包まれて眠ってしまった。

翌朝。健さんの起こす声で目覚めた。

「見てごらん、沖縄の美しい朝だ！」

うっすらと赤みをさした空には夜の名残の灰色の雲が少し残り、その雲がみるみるムラサキ色に変わり始めると、太陽は黄金の光をまき散らし、海からゆっくりと昇り始めて、空が赤くなってきた。

「あの空の下がニライカナイなんだな」

運天君がボソリと言った。

「ニライカナイ？　よく聞くけどそれはなんなんだ？」

「それは東の沖にあると言われている、ニライカナイの国のことで、その国の神が毎年、沖縄に海の贈り物、大地の贈り物を持って来てくれ、沖縄の幸せも持って来てくれると言われているんだ。それに死んだ人の魂はそこに帰るし、生きた人の魂はそこから来ると言われているんだよ」

「まるで天国みたいなところなんだな？」

突然、健さんが、

「天国や極楽とちょっと違うな。天国とこの世をつなぐ神の国なんだ。沖縄の海は南西から西南に船を走らせたら、必ず、南洋か大陸に着く。北に走らせれば日本本土、西には中国、南にはジャワ、スマトラ、シャムなど南洋の国、残された東の方角は陽の上がる未知の国、そこがニライカナイなんだ。身近な幸せの国で、誰でも行けそうだけれど、誰も行ったことの無い未知のところなんだ」

陽が、昇りきるまで空と海は刻々と変化し、確かにあの空の下には、我々の知らない国があるに違いないと思わせてしまう。しばらく見とれていると、運天君が、

「あの国に行くと、僕の会いたい人に会えるのかな？」

健さんが、

「サァ。かたづけ、かたづけ。ゴミは持ち帰るんだからな」

健さんは何度も何度も、砂浜や周辺をチェック。

「ビニールは絶対に残すな。カメがクラゲと間違えて食べるからな。少しの食べかすもダメ」

この海の美しさや、自然を守るために、沖縄の人々の努力があるんだ。なんかうれしくなった。いつもすぐに変わってしまう街の景色、風に飛び交うビニール袋、そんな東京から来たせいかもしれないけど、こんなに美しい海を残してくれる人がいてくれてうれしい。

昼頃にはこの小さな島を後にして、定期船の出る島に戻った。この島の小さなロッジのレストランで昼ご飯を食べて那覇行の船を待った。やがて、大勢の観光客を乗せて帰りの船がやってきた。浜には二、三人の観光客が残っていて、今着いたばかりの観光客と浜で奇声を上げていた。その皆に「浜を汚さないようにしましょう」と、呼びかけたかった。ウミガメの背中に「海をきれいに」と、書いて放流したらどうだろう。あれこれ考えながら乗船した帰りの船では、運天君もぐっすりと眠り、那覇の港に着くまで目が覚めなかった。どこに置いていたのか、帰りは健さんの車で家まで送ってもらった。定休日の母が、運天君の家で、帰りを待っていてくれた。健さんにお礼を渡すためだったらしい。母が差し出した封筒を健さんは受け取らなかった。

翌日の学校では大変なことになっていた。

教室に入ると、園子さんが血まみれで倒れていた。運天君の席の傍にいたのはジャイアンで運天君はいなかった。教員室に先生を呼びに行ったらしい。頭を打った園子さんのために救急車がきて、担架で運ばれていった。

「何があったんだ？」

「俺は何もやってないぞ」

ジャイアンが大声でわめき、いつもの取り巻きが「運天悪い、運天悪い」の大合唱。

その時、運天君が教室に戻ってきた。

「どうしたんだ」

聞いたけど、何も言わずに運天君はいきなりジャイアンにつかみかかり、ジャイアンの大きな体は仰向けに転んだ。

何があったんだろう。運天君の後を追ったが、彼は走りながら、

「園子さんの病院に行かなければ……僕のせいなんだ」

彼は取り乱していた。

教室にもどって皆に聞いてみたけど、話したがらなかった。学校が終わって、すぐに運天君のいる病院に行くことにした。朝からの曇り空は、今にも雨が降りそうな気配がして

風は湿り生暖かい。暗い廊下のベンチに運天君は、一人座っていた。

「どうした、何があったの?」

「又、あいつが本を取ったんだ。そしてまた園子さんが怒ったんだ。当然、今日は僕も怒ったよ。それで立ち上がったら、ジャイアンに突き飛ばされ、後ろにいた園子さんにぶつかってしまって……それで、園子さんは頭を打ってしまって、大変で、血が出て、しばらく口もきけなくて、僕が駄目で……」

運天君は泣いていた。どうしていいかわからず、

「大丈夫だよ、大丈夫だよ」

それしか言えず、僕は何も出来なかった。この病院は母も働いているし、運天君のお母さんもいるし、津波のオジィもいる病院で津波君もいるはずだ。やがて誰かに聞きつけて運天君のお母さんが駆けつけ、園子さんの怪我は命に別状ないとの事だったが、二、三日の入院が必要だと知らせてくれた。それを聞いて僕らは津波君のいるはずのオジィの病室に行くことにした。津波君はいつものように英語の教科書を見ていた。僕たちを見て、少し驚いたようだったが、すぐに、

「どうした、何かあったんか」

と言いながら僕たちを廊下の隅につれて行った。

「オジィがすっかり弱ってしまって、最近は何故か英語ばっかりしゃべっていて、看護師さんも困っているんだ」

津波君の声は沈んでいた。

運天君が今日のことを話すと、

「くそ〜！　あいつは許せないな。俺がいたら、そんな事させないのに、ごめんな」

津波君は本当に怒っていた。

「いや、僕が悪いんだよ」

運天君の声も沈んでいた。病院の窓から見える沖の島が雨に曇って、沖縄もそろそろ雨季に入ろうとしていた。どこにいたのか志織がやってきて、

「今日はお母さんとお兄ちゃんと三人で帰れるね」

無邪気な志織は、重苦しい我々の空気に気付かないらしく、うれしそうだった。

翌日、運天君は、学校を休んだ。

帰り道、彼の家に立ち寄るために急いでいると、海岸にいた運天君に出くわした。

彼は一人海を見ていた。最近飼い始めた山羊と一緒だった。

曇り空の下、山羊はやたら白く、運天君の足に頭突きを繰り返していた。話しかけていいか、迷ったけどとりあえず、

「あまり落ち込むなよ、園子さんはすぐに良くなるから」

と声をかけて、運天君のそばに行くと、こんどは僕の足を狙って、山羊が頭突きをしかけてきた。

「こいつはすぐに怒るんだ、僕に似ているのかな」

彼は少し照れたように言ったけど、すぐに真面目な顔になり、

「今朝、母さんから聞いたんだけど、園子さんが那覇の学校に転校するらしいんだ。前からそういう話を両親に勧められていたらしいけど、園子さんは嫌がっていたらしいんだ。しかし今年からお兄ちゃんが那覇の大学に入って、一緒の下宿に住めることで決心したらしい」

「ちょっと寂しくなるな〜。いつもかばってくれたのに、今から見舞いに行こう」

運天君もそう思っていたらしく、山羊を引っ張って急に走りだした。運天君はスーパーに立ち寄りたかったのだ。そこでスターフルーツという果物を買いたかったのだ。

ぼくはこの黄色いギザギザの果物を初めて見た。運天君は山羊を家において病院に直行した。園子さんは病室で本を読んでいた。僕たちを見ると、うれしそうに、

「明日、退院だけど、すぐに那覇に行くから、しばらく会えなくなるね。私がいないと君がどうなるか心配だな」

そう言って運天君のお腹をつついた。

「問題を起こしたら駄目だよ。もっと皆と仲良くならないとね」

「僕は皆に迷惑かけてないいんだよ。なのに皆が仕掛けてくるんだ」

「でも最近は、鈴木君がいるから大分、打ち解けてきたようだから、大丈夫かな」

園子さんは、まるで運天君のお母さんだ。運天君は調理室からナイフを借りてきて、スターフルーツを輪切りにした。その断面はきれいな星の形をしていた。一切れ園子さんに渡して、僕にもくれた。口に入れると、その味は甘酸っぱく、明日那覇に行ってしまう園子さんを思う、運天君の気持ちの味だと思った。そして、多分、あの無人島で拾ったと思われるヒトデをポケットから取り出した運天君が、

「僕は大丈夫。海の星と天の星と、空には時々沖縄に飛んでくるホシムクドリもいるし、鈴木君もいるし、待ってるから……これ多分アカヒメジュズベリヒトデだと思うけど、色

が剝げてるから塗っといたけど」

運天君がドラマのセリフみたいなことを言ってびっくり。もっとビックリしたのは、園子さんが泣きながら運天君の手を握っていたことだ。

もうすぐ始まる梅雨の蒸し暑さもなく、消毒の匂いと園子さんの頭の包帯が病室の中でやたらと清々しかった。帰り道、

「まいったな。運天君は意外とロマンチストなんだ」

と言うと、運天君が恥ずかしそうに、何か言おうとしたらしかったようだけど何も言わなかった。

「園子さんがいなくなるのは少し寂しいんだろ」

「ウン」

運天君は小さな声でうなずいていた。二人は病院の売店で抹茶アイスクリームを買った。口には少し苦みが残り、バニラにすればよかったと思いながら家路を急いだ。

帰ると志織が手紙を差し出して、

「ハイ、お兄ちゃんのお待ちかね」

正子さんからの手紙だったが、今までと違うのは差出人が正子さんとお母さんの名前が

書かれていた。急いで開けてみると、お母さんの字で正子の具合がよくないので、正子の言ったことを代筆しますとの事が書かれ、星の島の貝殻有難う、きれいなのでいつもベッドの上に飾っているのを見た看護師さんがうらやましがっている事や、僕に沖縄の海を案内してほしいことや、早く良くなって、特にあの大きな水族館に行きたいとか、が代筆されていた。

何故、代筆なんだろう？　少し気になったけど、よくなったら水族館に行きたい、という事で少し安心した。早く良くなって夏休みには来てもらいたいと思った。

正子さんが来る前に、案内のための水族館の下調べをしておかないと、考えていた矢先、なんとその機会がすぐにやって来た。

連休中、病院勤務が交代で休みが取れることになり、運天君のお母さんが車の免許を持っているので、前から行ってみたい水族館に行くことを母達二人で決めたらしい。

車は運天君のオジサン健さんが、東京で陶芸の展示会に参加することになり、運天君の家に預けて行くらしい。

翌日、運天君とその話で盛り上がった。水族館も植物園も博物館もあり、楽しい一日になりそうだった。津波君も誘うことになり、帰りに病院に立ち寄ることにした。

オジィに元気になってもらうために、途中でハチミツを買って行くことにした。

以前から、頭から網をかぶったオジサンがハチミツを集めている姿に興味があった。

蜜集めのオジサンは4月に咲いたタンカン（オレンジ）花の蜜があるからと、瓶詰めを売ってくれた。蜜集めに興味を持っていると言うと、付いてくるように言って山の上のミツバチの箱のところまで案内してくれて、箱の中から巣を割って二人にくれた。硬いゴムのような巣の割れ目から、蜜がドロドロ出て、なめてみると甘く花の匂いがした。

「この辺りにはハイビスカスやシークヮサーの花や、熱帯果物の花がいっぱい咲くからミツバチの楽園だな。ミツバチだけでないぞ、天然記念物の蝶、コノハチョウやらフタオチョウも来るぞ」

「へー、この辺にヤエヤマネコノチチやクワノハエノキがあるの？　コノハチョウは、え～っと、スズムシソウ、だったかな？　果樹園が多いから腐ったミカンなんかにくるんだよね？」

僕が沖縄に来た時から、このチョウを見たいと思っていたので、事前に調べていた。

蜜集めのオジサンは驚いて、

「君達は生物クラブなの？」

運天君が、

「どこにネコノチチの木があるの？　ネコチチ見たいと思っていたんだ」

オジサンの話ではこの辺りでは見かけないけど、海洋公園の植物園にあると教えてくれた。海洋公園で水族館の次に見るものが、すぐに決まった。津波君はオジィのそばにいた。水族館には行けそうもないと言って、オジィが元気になったら学校に行くと言った。オジィはハチミツをなめていた。海風で育った花の味を確かめているようだった。

ヤエヤマネコノチチ

3 水族館

水族館　知らぬか大魚　餌に立つ
大水槽　イルカのピアス　夏の肌

蝉麻呂

町から水族館への道は二つあり、一つは海沿いの道、もう一つは山側の道だ。運天君のお母さんがどっちにしようかね？　と聞いたので、僕は即座に山の道と答えた。毎日、海を見ているので、たまにはという事もあった。

山も道の両側の森はスダジイやヘゴの木があり、やはりヤンバルの森だった。観光用にはパイナップル園や、山なのにエビつかみ取り養殖場などもあり、沖縄は山の森でも海と離れられないんだ。水族館に近づくと、オオゴマダラが悠然と風に吹かれて舞っていた、塔頭のある島が近くに見えて、入口の広場には大きなジンベイザメのモニュメントが、底抜けに青い空に向かって泳いでいた。大勢の観光客に交って我々は水族館の入口を入った。

最初にあったのはタッチプール。早速、志織は水の中に手を入れて、ヒトデ、中でも美しいカワテブクロやマンジュウヒトデがお気に入りのようだ。沖縄では子供に人気のガチチャーと言うシラヒゲウニ。そして沖縄の海にはどこにでもいる大きなニセクロナマコを見ながら、〝気持ちわる〜〟を連発しながら喜んでいた。

次は自然光の入った明るいサンゴの水槽だった。ハナヤサイ、ミドリイシ、ブドウの房のようなミズタマサンゴなど何十種類ものサンゴがいた。志織が、

「こんなに満員でサンゴはお互いケンカしないの？」

さすが我が妹、中々いいところを見てる。

「実はサンゴも密生しているところでは隣どうしでケンカするらしい。枝サンゴなんかそれで白化してしまうらしいんだ、と本に書いてあった」

こんなところで、又、又、知識の受け売りが始まった。

運天君はただ、じっと水槽を黙ってみていた。そして突然、

「縄張り争いか。まるでヤクザだね。しかし、このサンゴたちは我々に良いことをしてくれてるんだよ。サンゴ自身が二酸化炭素を酸素に直接変換してくれていると、思われがちだけど、実はこの中に住んでいる、藻類が酸素を作りだしてくれているんだよ。この藻類はサンゴが死ぬと一緒に死ぬんだ。だから藻類の住処を提供するサンゴが地球環境には大事なんだよ」

志織は感心したように、

「今日はお勉強になるな〜」

母たちは水槽をチラチラ見ながら観光客に押されながら先を進んでいた。僕達は次の熱帯の魚の水槽では、長い時間をかけて知っている限りの魚の名前を、言い合って楽しんでいると、さすがに志織も「早く次、次」と言い始めた。暗い洞窟の魚を見ながら、廊下をおりていくと、そこには海の危険動物の作りものがあった。ハブクラゲやハナミノカサゴやダルマオコゼに交じって、志織に是非見てもらいたいものがあった。ガラス張りの箱の中に模型のアンボイナが置かれてあり、草履をはいた足（これも模型）で踏みつけると貝から針が出て足が赤くなっていくというもので、

「志織よく見てごらん。この危険な貝がいなかったら、僕たちはここにいなかったんだよ」

「これか。父さんが踏んで母さんに看病してもらって、やがて結婚してしまったというやつは。お兄ちゃんも早くアンボイナ様にお礼を言って……」

志織は柏手を打った。

周辺の人は不思議そうに見ていた。母さんの姿は見当たらなかった。

マングローブの水槽に足を止めて、運天君がぼそりと言った。

「マングローブは一種類の植物名じゃないんだ。海水が入る泥の湿地、つまり海水でも淡水でも生きる能力を持った植物の総称らしい。多くの種類があって沖縄の代表的な植物なんだ。だから、あんな作り物の木でなくて光を入れて本物にしてほしかったな」

僕が何気なく見ていた、この熱帯、亜熱帯の海辺の代表的な植物を大事にしてほしい運天君の気持ちがよく分かった。沖縄は海の魚だけでなく、陸地にも貴重な生物がいっぱいいる事を、次の水槽達が教えてくれた。シリケンイモリ、ヤシガニ、タナゴモドキ、リュウキュウアユやオオウナギ、イシカワガエルなど僕は初めて見るものばかりだった。本土にも似たような生物はいるが、尾っぽが長かったり色がきれいだったり、どこか違っていた。こんな特徴を持って生き続けている生物たちを我々は大事にしなければ、東京ではもう無理だから、と、思ってしまう。暗い小さな水槽群を見ながら進むと、前方に巨大な水槽が見えてきた。それは水槽なんかでなく海を切り取ってそのまま目の前に据え付けたようなものだった。

しかも水は澄んでいて、沖縄の海独特のあのコバルトブルー、観客は皆黙り込んで、巨大水槽の中に溶け込んでいた。その中をジンベイザメやナンヨウマンタが悠々と泳ぎ、その隙間をグルクマやシュモクザメやらナンヨウハギ、グルクンやらのオンパレード、志織はすごい！　すごい！　の連発。母たちも茫然と立ち尽くしていた。この魚たちはいったい何を考えて生きているんだろう、常識を覆した分厚いアクリルガラスを作りだして、閉じ込めてしまった人間を恨んでいるのだろうか？　しかし、広い外洋で偶然に口に入る餌を求めて泳ぎまわる魚にとっては、限られた水槽の空間でも栄養や健康についてよく研究された餌を手軽に採れる方が、楽な生活なのかもしれないかな？と思ったりした。

立ち上がって餌を飲み込んでいるジンベイを見ていると、昔飼っていた犬に餌をやっていたのと、そんなに変わらない光景のように思えてきた。その後、サメの水槽やら古代サメの歯のレプリカに入って記念写真を撮った。全員で撮ってから、僕一人のも撮った。無論、正子さんに送るためだ。光る魚や深海の魚を見て、水族館を出た。外には母たちが待ってくれていて、まだ少し早いから植物園に行ってランを見てから、食事

をするという事になった。

植物園に入って、運天君と僕は一時間だけ、自由行動することにした。

植物園の屋外に目指すヤエヤマネコノチチがあるはずだ。しかしあまりにも広くて見つけられず、公園の人に聞いたらすぐに教えてくれた。公園の隅の方にひっそりと植えられていた、細い木だった。早速、実を探して形を確かめた。正確に猫の乳を見たわけでないけど、何となく想像していた楕円形の小さな実だった、一体誰がこんな名前を付けたんだろう。「猫好きの植物学者がつけたんだよ」運天君はそう言って、まだ時期の早いせいか、緑色の小さな実の形を色んな角度で確かめていた。ヤエヤマネコノチチの実が猫の乳の形をしているのか？　今度猫を捕まえて、もっと正確にたしかめてみよう、僕達は安心してその場を離れた。


母達との待ち合わせ場所に行く途中、世界の沢山の植物も見た。アマゾンの大オニバス、アフリカのバオバブやソーセージツリー、世界から見たこともない木々が集められていた。

運天君が、ここに集められた世界中の貴重なこの木々が将来、それぞれの故郷で必要にならないことを願っていると、突然、変なことを言った。

「また、なぜ?」

驚いて聞いてみると、この木々が、環境破壊や気象変動によって原産地で絶滅して、アフリカやアマゾンから、「是非、この木を譲って頂けないか? とか里帰りをさせてくれないか?」と言われる事、そうなるかもしれない地球環境破壊を恐れていたのだ。

「そうか、十九世紀末、中国で絶滅した野生動物、シカのような角を持ち、牛でもなく馬でもなくロバでもない、あの四不像(シフゾウ)のようにならないかを恐れているんだな、君は……」

もともと四不像は中国の野生動物で、大量に狩られたり、環境破壊で絶滅したと思われていたが、偶然イギリスの貴族が本国に持ち帰っていた動物園から購入して、自分の城の庭で飼育していたのが見つかり、元の中国に里帰りさせて繁殖に成功した。シカ科の動物の事を運天君はイメージしていたんだ。それは四不像を絶滅寸前から救った事例だけど、本当は彼らの生息地で大事にされていたら、そんな事しなくてもよかったんだ、と、言いたかったんだろう。

「上野動物園で遠足の時見たよ、四不像」

「良いな。貴重な動物がすぐに遠足で見ることができる東京は」

「そんなことないよ。こんなにきれいな海もないし、第一妹の病気を快復させてくれる、きれいな空気もないよ、東京は」

本当に僕は東京に帰りたくなかった。しかし父が一人でうまくやっているかが少し心配だった。それに一番は正子さんにも会いかった。待ち合わせ場所で志織はグァバジュースを飲みながら、青い空を見上げていた。風は透き通り清々しく、妹の体の隅々まで洗っているようだった。

「途中で食事でもして帰ろうかな」

運天君のお母さんが言った。

帰り道では運天君のお母さんは、僕達を案内したい場所が既にあるらしく、颯爽とハンドルを握って自信に満ちていた。細く舗装されていない急な山道を登り詰めると、デコボコの駐車場が現れた。車を降りると沢山のセミの声に囲まれた。この不思議なセミの声は、多分オキナワヒメハルゼミだと思って運天君に聞いてみると、やはりヒメハルだった。しかし随分変わった鳴き声だった。海を見下ろす、山の上にあるレストランはピザと野菜サラダの店だった。こんな田舎でこんなお洒落な都会風の店があるなんて驚いた。中は古民家つくりで古民具の調度品が置かれていた。客はお洒落な若者でいっぱいだった。

僕達は海の見える庭のテーブル席を選んだ。眼下には小さな島が見えて、店の人が島の名はクロワッサン島だと教えてくれた。なる程クロワッサンのパンの形をしていた。アイスティーを飲んで、ピザを食べて、新鮮な野菜サラダを思いっきり食べていると、ここがどこか分からなくなってしまった。母が運天君のお母さんに、

「どうしてこんな処、知ったの?」

「沖縄の新名所案内のガイドブックで調べたんよ」

さすが運天君のお母さんだ。

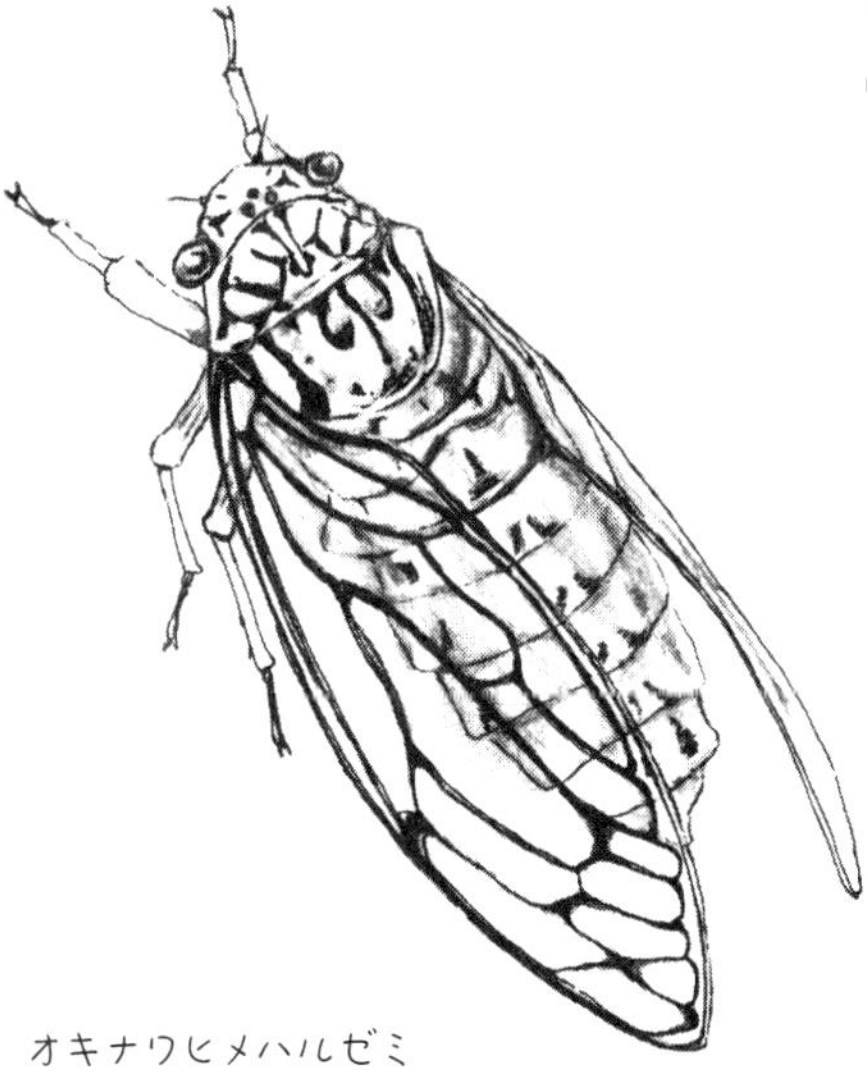

オキナワヒメハルゼミ

小高い丘の上のピザハウスを降りて、我々は家路についた。

志織は疲れたらしく、母に寄りかかって眠っていた。東京ではこんなに長い外出はなかったし、こんなに日焼けした顔も見たことはなかった。

帰りは海沿いの道を帰った。運天君のお母さんが、エメラルド色の湾を見て、

「昔、この湾にイルカを追い込んでイルカ漁をしていたんだよ。湾が血で真っ赤になったこともあったね。今は大掛かりなイルカ漁はやらないけど、昔は貴重な食糧だったからね」

運天君のお母さんは複雑な気持ちだったに違いなかった。海沿いの道はずっと白い砂浜が続いた。その先のエメラルドの海には、さっき感動的に見た水族館の魚達が自由にノビノビと泳いでいるかと思うと、人間として少し後ろめたい気持ちにもなっていた。しかし限られた水槽の空間で死んでしまう魚もいるし、広い大海でサメに食べられて一生を終わる魚もいるし、水槽は楽に餌が食べられるんだからと……そう思って何となく自分を納得させていた。

今回の水族館見学では、何故か運天君は静かで、落ち込んでいるようだった。

その理由を翌日、下校途中に話してくれた。彼は東京の陶芸展示会に行ったオジサン（健さん）に東京にいるはずのお兄さんとお父さんの住所を調べてくれるように頼んだのだ。

しかし、中々見つからないという返事をもらっていたのだ。前の住所には大きなマンションが建設されていて、短い時間では追跡調査は難しいとの事だった。

「僕たちも何回も引っ越したからな〜。でも東京と違って沖縄では、探す気になったら見つけられるのに、僕には会いたくないんだよ、きっと」

何と言っていいのかわからなかった。

「大丈夫。二人とも会いたがっているから」

「だけどお母さんは、まだ怒っているからな〜」

運天君は寂しそうだった。

動物の親子は人間の親子のように懐かしいとか会いたいという気持ちはあるんだろうか？

ライオンが母を訪ねて何千里、なんて聞いたことはないけど、何年かして母親のもとに帰ったライオンの話は聞いたことがあった。人は母も父も懐かしいし、生まれ出た母の胎内も、そのまた前の前の生命の源まで懐かしくなってしまい、沈む夕日を見て何故か泣きたくなったり、広い海を見たらあの沖の先には何があるのか行ってみたくなるのは、そのせいだと僕は思っている。時折、兄や父を懐かしみ落ち込む運天君の気持ちはよく分かる。

本土より早い沖縄の梅雨も終わり、本当の夏が近づいてくる頃、津波君のオジィが死んだ。オジィの棺の中にはどこか外国の港町で米兵と喧嘩したときの戦利品、あのマッカーサー元帥で有名になったコーンパイプと同じ形のパイプが入っていた。オジィは母の子宮の形と言われている、亀甲墓の中に入った。津波君の大阪にいる両親も帰ってきて、葬式が終わったら大阪に住もうとしきりに誘っていた。津波君は拒否し続けていた。理由は大阪には本当の海がないということだった。

「大体、大阪は川の町だ、大阪にはいかない、俺は海人だ」

しかし、困りはてた両親は、今年の夏は親戚の家にお世話になり、来年の夏には大阪に来るようにということで、津波君を渋々納得させた。しかし津波君の顔は厳しかった。

海の向こうからここ沖縄に、カラリと暑い日差しがやってきた。

そして今日、東京から小さな小包もやってきた。それは正子さんの好きな色、黄色い包装紙に包まれていた。中には正子さんには珍しく、乱れた字で「ごめん、沖縄に行けないよ」と短い手紙と最近では珍しいカセットテープが入っていた。

久しぶりの便りに喜びと期待で心臓がどきどき音を立てていた。

我が家にはカセットテープが聞けるデッキがないので、すぐに運天君の家に走った。

彼は鳥の声を録音するために、小型のラジカセを持っているのを知っていた。運天君は山羊に餌をやっていたけど、僕が焦っているのを見て急いで、ラジカセを持って来てくれて、

「どうしたの、何かあった？」

しかし、僕は受け取ると返事もしないで家に戻った。テープの声は最初は誰かわからないくらい、よわよわしい正子さんの声だった。

〝太郎君、ごめんなさい！

このテープ聞いてくれている頃、私は多分……天国に……旅立っています。私が死んだらこのテープを送るように母に頼みました。君が沖縄に発つとき白秋の本渡したよね、覚えてる？　あの中に〝細々と・でべそ・の子供が春の夕暮れに畑で笛を吹くというのがあるんだけど〟

私は昔から誰にも言わなかったけど血液の持病があって、あの子供にすごく共感していたのかな？　好きな短歌だった。黙っていてごめんなさい。時々思い出して。

本当は、沖縄を旅したかったな。

エメラルド色の海……赤い……白い……小さな……ありがとう……

この辺の声は、弱々しく、とぎれとぎれでよく聞こえなかった。目の前が真っ白で何が起っているのか、僕にはよくわからなかった。

私はずっと骨髄性白血病と戦っていました。物知りの太郎君との思い出は楽しかった。動物園の遠足楽しかった……ネ。

ここでテープは切れていた。

涙が止まらなかった。僕がこの南の島で海を見たり星を見ている時も、正子さんは病気と闘っていたんだ。そう思うと哀れで胸が痛くなって、声を出して泣いた。

うす暗い部屋で、声を出して泣いているところに、母と志織が帰ってきた。

二人は驚いてそばに来て短い手紙を見た。正子さんが死んだことを察したようだ。

母も志織も泣いた。

黄色の手紙が涙でぬれ、スイッチを切らないままのテープが空回りを続けていた。

「正子さんがニライカナイの国に逝かれたんだね。明日の朝、陽が昇る海の方にお別れを言わなければね」


次の日は、陽が昇りきる前に浜に下りた。水平線がムラサキ色からオレンジ色の帯になって朝日が昇り始めた。海の色が変わり始めた水平線に、いるはずのない正子さんの姿を求めていた。沖縄では遥か遠い東の彼方に、死者は帰るといわれている。そこはニライカナイと言われ天国のようでもあり、竜宮城でもあるような。命の源といわれている所である。

とにかく、もう一度、正子さんに会いたかった。生きていくために、なんの役にも立たない、僕の雑学知識を、目の色を輝かせて聞いてくれる正子さんに、もう一度会いたかった。

今日は学校を休んで、浜で海を見ていることにした。

母も志織も砂浜でぼんやりしている僕の姿を見ても、今日は静かに見守ってくれていた。

母は出かける前に一言だけ、

「お腹が減ったら、冷蔵庫に何かあるからね。悲しいね。負けたらあかんよー。ぬちどぅたから」

聞きなれない言葉を残して勤めに行った。

学校を終えた運天君が浜に来た。今日から学校に戻った津波君も一緒だった。

二人の顔を見て、急に悲しくなって、又泣いてしまった。

「どうした、何があった」

二人はとまどっていた。

「僕の一番の人が死んだ。沖縄に来たいと言っていた人……で……愛でもないし恋でもないし、身内でもないし。どこにいても二人はつながっていたんだ。空みたいに大きくて僕の上にいつもいて……見てくれていた」

泣くのは止めようと思ったけど、又、涙が出てきてしまい、二人は困っていた。

「ここの空と海、見てもらいたかったな」

運天君が言ったら、津波君が、

「船に乗せたかったな」

と言ってくれた。

「オジィも死んだし、太郎の友達も死んだし、運天も兄さんから連絡ないし、ついてないし、俺たち」

津波君が砂浜に寝ころがって、さらに言った。

「俺たちでニライカナイに行こう。もしそんな国、無かっても誰も知らない島に行こう」

思いもよらない言葉に僕は戸惑った。

しかし運天君は

「いいな〜。我々の祖先は、いつも自由に海に出てたし、新天地を求めて旅していたんだから、行こう！」

半分、海の民の血を受け継ぐ僕も、ちょっと血が騒いだ。何故か正子さんに会えるような気持ちにもなってきた。しかし、そんな事出来るわけがないと思いながら、夕方、それぞれ、家路についた。母も志織もまだ戻っていなかった。部屋の中で一人いると、また悲しみがぶり返してきた。しかし、津波君も運天君も皆、仲間だと思うと少し楽になった。

母と志織がもどってきて、大好物のハンバーグを母が作ってくれて、

「いつまでも悲しんでいると、正子さんに叱られるよ。ガンジュ、ガンジュ（元気元気）」

いつまでも落ち込んでいたら駄目だな。正子さんのお母さんに、手紙出そう。動物園の遠足の時二人だけで撮った写真、コピーして送ろう。でも悲しみはやっぱり悲しいまま、そこら中に潜んでいた。

翌日は気の晴れぬまま、学校に行くことにした。

一人部屋にこもって、じっとしていると、東京に見舞いに行った方がよかったとか、ずっと東京にいた方がよかったとか、あれこれ考えてしまうので学校に行くことにした。

それと運天君とも話せるし、久しぶりに来ている津波君とも話したかった。

でもやはり、悲しかった。いつもの海の色も、フクギの並木も晴れているにもかかわらず、全てがどんよりとして、何か胸に重いものが、無理やりつめこまれているようだった。

こんな時、思い出されるのは、昔、正子さんとよく歌った、アニメソングの気持ちだった。それは丁度、〝オルフェンズの涙〟の気持ちかな？

オルフェンズ　涙　愛は悲しみを背負い　強くなれるから　You're on my mind　聞こえますか　宇宙（空）が歌うブルース　〈ＭＩＳＩＡ〉

学校で津波君から帰りに家に寄ってくれとの招集がかかった。無論、運天君も一緒だった。

津波君の家は浜に面していて、大きな納屋と広い中庭がある古い木造の家だった。

玄関には、先日亡くなったオジィと津波君が一緒に海で撮った写真が飾られていた。

津波君が二人を居間に招き入れ、僕が最近まで苦手だったウッチン茶を出してくれた。

そして、

「昨日の計画。ニライカナイを探しに行くことの話だけど」

僕にはまだ本気の計画と思えなかったし、我々だけで海に出ることなんか想像もできなかった。悲しみはまだ、昨日のまま、そんな事、考えられなかった。それに比べて運天君はとても乗り気で、

「船は？　とか、食糧は？　とか」

大興奮だ。

曖昧な僕を見て、津波君は僕達を浜辺の納屋に案内した。

4 サバニ

波を切る　サバニの行方　コアジサシ

帰路につく　サバニ海道　星が降る

蝉麻呂

薄暗い納屋の中には、大きな舟と小さな舟、二艘置かれていた。沖縄で昔から海人に使われていた、サバニという木造船だ。この舟の名前の由来はサバというのは、昔の沖縄ではサメのことで、ニと言うのは舟を指すらしい。多分、サメ漁に使用したのだろう。

この舟の事は東京に居た時から知っていた。沖縄の海の風景写真によく出ていたし、頓珍漢の父が、

「サバニというのは鯖取り船、ニはサバの味噌煮なんだな？　きっと」

テレビを見ながら冗談を飛ばしていた。

「父さん。沖縄には、サバの種はいるけど、マサバはいないよ」

そんなたわいもない父、やさしい母、志織を悲しませる事なんて、僕にはとても出来ない。しかし、昔、海を自由に走っていた舟が、突然目の前に登場してくるなんて、思いもよらないことだった。舟体に塗られていたと思われる色は剥げていたが、何色かに塗られていたらしい。物置の隅の方には櫂や網、帆布等が積み上げられていた。

この大きな舟を見て、今までのモヤモヤが一気に吹き飛んだ。機動戦士ガンダムの歌が、又、蘇ってきた。

オルフェンズ　涙　愛は悲しみを背負い　強くなれるから　オルフェンズ　宇宙（空）へ　僕らは今　希望という船を出そう〈MISIA〉

何故かこの舟で大海に漕ぎ出したら、正子さんに会えるかもしれないと思えてきた。舟を見る前から津波君と運天君はもう行くことを決めていた。その気迫に押され、遅ればせながら僕も行くことを決心した。津波君は部屋に戻り、大きな紙を持ってきて、マジックで〝航海計画表〟と書いた。そして、舟、食糧、目的地、と書いて、あとは何か準備するもの必要なものを、それぞれに提案しようと言った。運天君が「その前にこの計画が壊されないように秘密厳守、その誓いを立てよう」とコブシを差し出した、津波君がそのコブシに自分のコブシを当てた。僕も二人のコブシにコブシを突き出した。三人のコブシがぶつかると、何故か、本当に海に出る勇気のようなものが湧いてきた。三銃士か毛利元就の三矢の教えの感じかな？　しかし、この話は、あまりにも古くさく、二人には通じなかった。

まず最初は、操船をどうするか？　津波君が言うにはサバニは波をかぶっても復原性が強いが、遠洋には向かないと言われているので慎重に考えないといけないと言った。しかし、付け加えて日露戦争時、宮古島から石垣島まで手漕ぎでロシア船発見の知らせをした記録があるとか、一九九五年には与那国から広島、長崎まで二千キロ手漕ぎで航海したという事も教えてくれた。櫂だけでの航海は限界があるので、やはり帆も併用することになった。

サバニのような昔の形の帆を使っての帆走は、僕達には難しいのではないか？　長い時間をかけて議論した。誰も経験したことのないことなので結論は出なかった。しかし人力だけでは限界があり、結局、一年かけて訓練しようという事になった。

役には立たないと思うけど、僕は家の近くに、東京湾のヨットスクールがあって、初級クラス、中級クラスの講習を受けたことを話すと、津波君が驚いて、

「素晴らしい！　回山倒海《かいざんとうかい》、鈴木君に乾杯」

津波君が訳の分からない事を言い出した。

「何、それ？」

二人で同時に聞いてみると、

「オジィがよく言っとった。山を転がして海をひっくり返す。びっくりするくらい元気で勢いがある。つまり最強という意味らしいんだ」

「だけど、講習は中級まで、しかも中級の最後の日はさぼった」

「なんで最後の日をさぼったんだ？　君らしくないな」

「ア、ア、つまり……」

思い出して胸がジンっとなった。講習の最後の日は、正子さんと、前から約束していて、近くの公園で観覧車に乗る約束をしていたのだった。観覧車からヨットの走るのを見ながら、今日、参加していたら中級の修了書がもらえたのにな～。正子さん命、気の弱い僕は正子さんとの約束を延期できなかった。

今となっては狭い観覧車の中で漂っていた正子さんのシャンプーの匂い、遠くに見えた東京タワー、みんな辛く悲しい思い出だ。

「最後の日はデートだったんだな」

運天君が鋭く僕の表情を読み取った。

「うんまあ」

「回山倒海、元気出せ！」

津波君が言った。サバニを動かすのには、まだまだ色々な問題がある、回山倒海、元気出そう。そう思いながら走って家路についた。

過去を全てフッ飛ばすように、全速力で走った。

翌日の学校では、津波君と運天君と僕、わざとヨソヨソしく振る舞った。

学校が終わったとたん、三人は解き放たれた猟犬のように、津波君の家に走った。

家では、また冷たいうっちん茶を入れてくれて、奥の部屋から昨日の大きな紙を持って来て、

「今日は食糧について考えよう」

と言った。そして主食、おかず、お菓子、栄養剤、水、と書き入れた。

「昨日のサバニの操船のことだけど、思い出したんだ。オジサンが教えてくれると思うよ」

運天君が、ぼそりと言った。

「あの健さんか？　確かに海のガイドしていたと言っていたね」

予定表に色々書いていた津波君が、急に手を休めて、

「俺は何回か、オジィには手漕ぎサバニには乗せてもらったことはあるけど、昔のことで

操船には自信なかったんだ。運天君のオジサン、教えてくれるかな？」

「そうだ那覇で観光客のためにサバニ操船講習会の指導をしていた事を聞いたことがあったんだ」

僕はあの星の島に行く途中で聞いたのを思い出した。

東京のヨットスクール中級ではどうしようもないことは、昨夜寝る前に気になっていた。

僕らは夏休みになったら、すぐにオジサンにお願いすることに決めた。

「オジサンにも絶対にこの秘密の計画が、ばれないようにしなければいけないな」

津波君が心配そうに言った。

「大丈夫。オジサンは東京から来た鈴木君の沖縄体験ツアー、何回もしてくれたんだ。今回も鈴木君の夏休みサバニ体験という事で、大丈夫だよ」

「ヨシ！　それでいこう」

津波君が再び大きな予定表に必要な食品名を書き入れた。

「主食は何にするか？　壊血病にならないビタミン補給やらの工夫とか、多分大航海時代の船の食糧なんか役に立ちそうだと思う」

と僕が言うと、運天君が、

「そういえば〝ワンピース〟の船はミカンの木を植えているな。中国貿易の時代はサツマイモがあったはずだし、大豆で〝もやし〟作りもビタミン補給に役立つかな？　と、そしてカロリーメイトとか、サトウのインスタントごはん、お餅もあるし、今は便利な物いっぱいあるから、その点は大丈夫だな」

「あとはどれくらいの長期航海になるかで、食糧の量を決めればいいかだな」

津波君が冷静に言って、航海日数は、全員で約一カ月くらいと決めた。

「主食はいいとして、水の問題も大きいな〜」

皆が言うと、

「ペットボトルや雨水やら考えないといけないけど、雨水は煮沸消毒が一番、安全なヨウ素タブレットもいるな。こんなに海の水があるのに何とかならないのかな？」

津波君が言った。

僕は江戸時代の漂流記を読んだことがあったけど、確かそこに海水から真水を作る容器の図解があったことを思い出した。帰って調べなきゃ。

「航海に山羊を連れて行ってもいいかな？」

運天君が恐る恐る言い出した。僕たちはびっくり、二人同時に猛反対した。

「又、何で？」

「山羊はうまくいくと、いつも新鮮な乳を出してくれるし僕がいないと散歩にもいけないし、餌も与える人がいないんだ」

運天君は必死だった。

こんな打ち合わせが続き、僕の胸は高鳴り、正子さんに会えるかもしれないという当初の目的もさることながら、海で初めての生活体験の冒険、というものにのめり込んでいった。


家に帰ってすぐに、東京から持ってきた本を入れた段ボール箱を探した。

まだ開けてない箱の中に江戸時代（一六六八年）大嵐に会い、海流に流されて漂流した、尾張の国、船頭治郎兵衛達の航海記があったはずだ。確か『日本人漂流記』バタン島の漂流の記事や日本の漂流の記録が載っているやつだ。確かこの本に海水から飲み水を取る方法がいくつか書かれていたはずだ。

以前にこの本を読み終えて、すぐにこの方法を詳しく知りたくなって調べてみると、これは江戸時代、薬油や酒を蒸留するために用いた器具で〝ランビキ〟と言われ、ポルトガルから伝わってきた物だという事が分かった。

以前から一度この器具を作り、実験してみたかったので、この絶好の機会に胸が高鳴った。本はすぐに見つかった。この器具の図解や説明もあったので翌日の打ち合わせに持っていくことにした。

翌日の学校でも三人は、ヨソヨソしくふるまった。同級生は不思議がっているに違いないが、もしコソコソと三人で話しているのを聞かれてしまい、計画が漏れるのを恐れた。

下校時も一緒には帰らず、途中で合流して津波君家に行くことにした。

今日は僕が、気に入っているシークヮサーのジュースを三本買って持っていくことにした。

津波君の家で本を紹介した。二人とも興味を示し、特に運天君は食い入るように読み始め、本を放さなかった。

日本人は大半が海洋民族なので、昔から海に出ていたけど、それなりに海難事故も多かったようだ。特に江戸時代の漂流記がたくさん残されている。

僕が一番好きな話は、台湾とフィリピンの間にある島バタン（馬丹島）への漂流の記録だ。鉄の無い島で、桑の木で釘を造り縄で補強した船を造り、日本に戻る話だ。

この話の中には、今回の僕達の計画に役立つ情報が沢山あった。

まず海水を真水に変える〝ランビキ〟の解説。

鍋に海水を入れ、その上に〝こしき〟(コメなどを蒸し炊く器)をかけ、鍋の上に小さな桶を置いて、蒸気が外に漏れないようにして、鍋に海水を入れ、ただひたすら蒸し続けると、そのとき出来た露が桶にたまって、一日に二升(3・6リットル)の水をつくったという事だ。またこの本によると、他にジョセフ彦蔵もランビキを使っていたらしいし、それまでも、アメリカ本土へは、まだ多くの漂流民がいたかもしれないが、記録に残されているアメリカ本土に上陸した最初の日本人は、尾張の国知多郡の〝督乗丸〟重吉達で、彼らもランビキで真水を作っている。彼らは一日七〜八升も作っていたと記載されている。

この荒川秀俊著の『日本人漂流記』の本は、神田の古本屋で買ったものだけど、こんなにも我々の計画に役立つとは、その時は思わなかった。今日はそのランビキ器を作ろうという事で一致した。帰り道、はるか沖に落ちる夕日が何故か、江戸時代も同じ輝きだったと思うと、荒海を越えて生き抜いたご先祖様に手を合わせて、海に囲まれたこの国のたくましい漂流民の生命力に尊敬と誇らしさを感じながら、陽の落ちるまで海を見て帰りを急いだ。

翌日の学校では、三人のあのヨソヨソしく振る舞う約束が崩れてしまった。というのは昨日、運天君がどうしても貸してほしいというので、貸した本を一晩かかって読んだらし

く、本の感想をいち早く話したかったのだろう。一目散に僕のそばに来て、

「有難う、面白かったよ」

そしてバタン島の人々が、鉄製品がほしいために奴隷のようにこき使っていた日本人の漂流民に日本には鉄がいっぱいあると聞いて、必ず持ち帰るからという言葉を信じて、帰国の許しを出した事、他に南の島で初めて見たワニを人食いオオサンショウオだと表現している別の漂流民の記事等、この本は運天君をも虜にしたらしい。

本のことを二人で話しているところに、ジャイアンがやってきた。

「またつまらんもん読んでるのか、見せてみろ」

と取り上げようとするのに、

「この本は、いつも弱いもんいじめばっかりしている君らには理解できない本だ。ここには昔の船乗りたちが弱い者を、みんなで助け、かばいあって嵐の海を越えていった、そんな海の男の記録だ。君達にはわからんだろう」

運天君が珍しく、興奮して言いはなった。

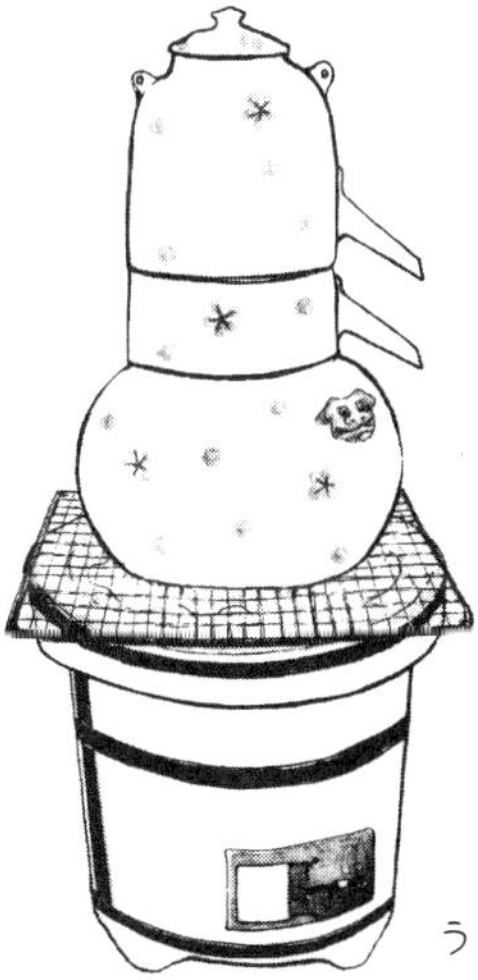
ランビキ

ジャイアンは顔を真っ赤にしてつかみかかろうとした時、津波君が教室に入ってきて、

「やめろ！　運天、そんなところで無駄なエネルギー使うな」

そう言って運天君をなだめた。

そして、

「わからん奴に関わるのは止めて、成らぬ堪忍、するが堪忍」

亡くなったオジィの影響だと思われる。よくわからない古いことわざを言いながら、仲裁に入った。ジャイアン達には、全く分からなかったに違いない。

この日の津波君の家での打ち合わせは、水以外の食糧についてだった。

しかし、本題に入る前に運天君が調べた、熱中症対策として体重に合わせた水分補給の量を発表した。それによると40キロ体重の人は1・7リットル（ペットボトル４本）ぐらいらしい。この計算で行くと、一人一カ月１２０本くらいの計算になり、炊事の水が必要なのでやはりランビキや雨水の活用が必要になってくる。食糧の基本はインスタントごはんでそばやそうめんも持って行くことにした。

インスタント麺は塩分の少ない物を選ぶことにした。又、かさばらないで、満腹になるものとして、餅も携行することにした。カロリーメイトやチョコレート、ビスケット等も

吟味して持って行くことにした。我々、人間は野菜に含まれるビタミンCなどが必要だと、言われている。モヤシやアルファルファなどは育てながら航海できるし、場合によっては実の付いたレモンかライムの鉢植え、そしてサツマイモ、ジャガイモなども候補に挙げた。津波君がジャガイモなど芋は腐るぞ！　と言ったけど、僕の父の実家が千葉にあって、おばあちゃんが亡くなる前によく遊びに行ったが、その時聞いた話で、ジャガイモの中にリンゴを入れておくと腐りが遅くなると聞いたことがあった。これは家で試してみたことがあったけど本当だった。〝おばあちゃんの知恵袋〟の中にはまだまだいろんな物が入っていた。お寺になっている銀杏の実を食べられるようにする作り方、トチの実の餅作り等々。昔から伝わる知恵を今回、役立たせるために、もっと思い出さなければ、おばあ様、おじい様、ご先祖様、仏様、よろしくお願いします。

みんな、オジィやオバァとのお付き合いは以前にはあったようで、津波君などは、つい最近まで海人のオジィと暮らしていたから、お年寄りの知恵はよく知っていた。特に海については漁だけでなく、天候、風、海流の見方も学んだようだ。そしてオジィが潜水漁をするとき、いつも水中メガネをかけながら、「水中メガネは、糸満の海人が考え出したもんだぞ、あり難いことだ」と言いながら、沖の方に頭を下げていたという事、等、津波君がオジィから、伝統的漁労文化も学んでいたようだ。

運天君のオバァは海藻や干物の作り方、冷蔵庫のなかったころの南国の野菜の保存方法など詳しかったらしい。しかし、オバァから聞いたという運天君が話してくれた一番面白かったのは、周囲が海で、外国に近い沖縄という南の島ならではのわらべ唄と遊びだった。

夜は星の海図を見、安南（ベトナム）やルソン（フィリピン）に航海し、昼は太陽の一日を見て唐土（もろこし）へと航海していたらしい。

昔から沖縄の人は、誰もがそんな異国の地を知っていて、虫でも知っているという事で、子供たちの遊びで歌われたわらべ唄がある。トーヤーマー（ネキリムシ）を捕まえ、指でつまんで逆さにするとムシは尻をぐるぐる回し、子供たちが〝トーヤ、マーヤガヤー（唐はどこかいな?）〟と唱えるとぐるぐる回していた尻を唐の国（中国大陸）の方向に止めるというのだ。さらに、〝ヤマトー、マーヤガヤー（日本はどこかいな）〟というとまた、ぴたりと止まる。この遊びは沖縄県内の島、久高島、津堅島の歴史的に有名な島々も対象になっていたという事で、航海の目的地を目指す方角が如何に重要であるか、ここ沖縄では虫でも知っているぞという、昔から受け継がれていた、海洋民族の誇りを感じる興味深い話だった。

運天君は昔はよく地虫の蛾の幼虫で試したことがあると言っていた。確かに尻をよく回したらしい。いつか僕も試してみたいと思っている。

オバァはこんな話をよく知っていたらしく、「今でいう博物学者だよ」と運天君は言っていた。僕は沖縄に来て、もうズボンをはいた百科事典なんて言えなくなった。ここでは多くの生の体験をし、知識を持った友や、海が好きで海の事はどんな書物にも書かれていない経験をしている友がいる。そんな友の前では、僕は無力だ。しかし毎日、どんなドラマが展開されていくのか、小さな画面のテレビの連続大河ドラマより面白く、沖縄でのこの経験を話したくて仕方がなかったけど、正子さんもいなくなった今となっては、未知の国に旅立ち、うまくいけば正子さんに再会し、人生の集大成？　でもちょっと早すぎるかな？

津波君が食糧やら装備やらの費用はどうするか？　急に現実的な話をし始めた。

運天君はわずかな貯えがあるけど、やっぱり今年の夏休みはアルバイトで資金稼ぎでしょう、と言い出した。津波君は漁の手伝いで稼げるらしいが、僕はどうするか迷っていると、夏は観光客相手の海の商売だよ。アイスクリーム売りとか、ジュース売りとか、運天君が言ったけど、ちょっと自信がなかった。売れなかったらどうするかもあるし、運天君も同じで、別にアイデアはないようだ。結局、二人はしばらく考えることにした。

資金づくりは重要だ。生半可な知識では解決しない現実問題が、帰り道で渦巻いた。

家に帰ると、珍しく母と志織は帰っていた。

那覇に行った人がスペアリブを大量に買ってきて、おすそ分けがあったようだ。久しぶりの料理を作るために、シフトを変えてもらって早く帰宅したそうだ。

そして父からも連絡があり、夏の休暇に沖縄に来るそうだ。志織は大喜びだった。

スペアリブの焼ける匂いと、母と志織のうれしそうな笑い声、久しぶりの幸せの気分が家中に充満していた。僕はすでに、大計画の準備に没頭しており元気回復なんだけど、今まで、二人は遠慮して静かにしていてくれていた気配があった。しかし父の休暇ニュースとニンニクとショウガが効いたソースで焼かれたスペアリブの御馳走に今日は、久しぶりに二人は、はしゃいでいるようだ。計画準備のための今年の夏休みも近くなり、僕の気持ちも本来はウキウキのはずだけれど、何故か気持ちのどこかで引っ掛かるところがあった。それが何かわからないけど、多分この幸せな生活を捨て、自分だけの人生を曖昧にして浮遊する危うさなのかもしれない。以前に、わけのわからないまま正子さんに誘われて見た演劇、〝欲望という名の電車〟のタイトルだけを思い出した。上演中はずっと夢うつつ、内容は皆目、分からなかったけど、なんかそんな内容だったかもしれなかった。しかし最後の波の音だけははっきりと覚えている。そんな思い出より、口いっぱいにスペアリブをほおばり、課せられたアルバイトの事を考えると、すぐにそんな事は忘れ、

「夏休み、どこかいいアルバイトないかな？」

と母に聞いてみた。

「お金がいるんかい？　何を買うんだ？」

「ロードバイク」

「まだ免許もないのに」

「違うよ、自転車だよ」

「それだったら病院の近くのホームセンターで買ってあげるよ」

「いや、イタリア製のがほしいけど、高いからフランス製ので良いと思って、まあ安いので六～七万かな」

想定内の質問と答えをした。

母はなんでそんなに高いもんを……競輪選手にでもなるつもりなのか？　執拗に聞いた。

「本格的に道を極めるためには、何かで自分を高めないと、野球で言うならイチローのあのバッターボックスでのポーズ。それにちょっとやり過ぎで失敗した、最近の貴の花」

「フーン、中学になったら急に難しい事を言うね、誰かに聞いてみようかね」

何とか切り抜けた。家中、スペアリブの匂いが漂い、運天君はどうしたかな？　気になっていた。翌日、運天君に聞いてみると世界鳥類和名辞典三万三千円と東京の国立科学博物館の「恐竜から鳥への進化」の恐竜博に来る、アメリカの博物館の所蔵、全身90％以上の化石ティラノサウルス〝スー〟のレプリカ見学に東京に行くためのお金が必要だからと、何とか切り抜けたらしい。津波君風に言うと臥薪嘗胆、ただひたすら努力、忍耐という事らしい。母を騙した後ろめたさがあったが、津波君が、

「大きなことを成し遂げるには、つらいけど我慢我慢、その後、どんな楽しいことが待っているか、考えて乗り越えよう」

その言葉に少し楽になった。

本土より早い沖縄の梅雨は、とっくに終わり、いつものカラッと晴れた日が多くなった。皆との打ち合わせの日が続いていた。しかし、一番の問題は資金だった。特に装備、食糧にはお金がかかることが分かった。装備は出来るだけ自分たちで作ることにしたが、やはり材料費がかかってしまう。やっぱり、アルバイト探しを急がなければ、運天君のお母さんも探しておくと言いながらなんの返事もないようだ。

僕の母は呑気に、

「今度お父さんが帰ってきたら自転車バイクたのんだら」

自転車バイクじゃないよ、〝ロードバイク〟訂正したかったけど、面倒なのでやめた。

しかし、少しいいことを母が言った。

「昔は小学生やら中学生のバイトは新聞配達が多かったね」

新聞配達か。朝と夕方にわけて運天君と二人で出来るな。時たまいいことを母は言う。

早速、翌日運天君と相談して、学校が始まる前に新聞販売店を回ることにした。

しかし、どこの販売店も、夏休みだけじゃな～とか、もう決まった人がいるからな、と断られた。最後の一軒は、店主が朝刊に差し込むチラシの折りたたみをしながら、

「残念、昨日決まったよ。いつもやっていてくれていた子が那覇の夏休み学習塾に行くことになってね。困っていたんだけど決まったよ」

望みの綱が切れた。帰ろうとした時、差し込まれようとしていたチラシが日に入った。(急募！　夏の臨時アルバイト)。すぐに店主に一枚チラシをもらい、運天君と夢中で読んだ。

内容はリゾートホテルの室内清掃の仕事だった。

午前中の仕事らしい、時給がとてもよいので夏休み中で何とか、資金が調達できるようだ。

すぐにチラシの連絡番号にかけ、学校が終わってから二人で行くことにした。

津波君も付き合ってくれた。海に面した大きなリゾートホテルで、裏の事務所のようなところで体格のいい担当者と会った。担当者は冷たい対応で、少し焦ったけど津波君を見て、

「おい、津波か？　中学でもやってるか？」

そういって柔道の背負い投げの恰好をした。

「アー新垣さん、もうとっくに止めました」

沖縄は狭い。いつも知り合いにどこかで会う。小学生の頃の柔道の先生だったようだ。

「津波も一緒か？」

「いや、僕は海の仕事があるので、この二人頼みます」

「津波の友達だったら大丈夫。この仕事は真面目が大事だからな」

なんと簡単にアルバイトが決まった。持つべきものは友だ。イチャリバチョーデー！

学校のある時はしばらく、土日だけ見習訓練があった。アルバイトが見つかり、少し浮かれている僕を見て、母はなぜそんなにアルバイトがしたいのか？　不思議がっていた。

「そんなに自転車ほしいんだったら、お父さんに言おうか？」

「ダメダメ、自転車は自分の足で漕いで、体力の限界に挑む崇高なスポーツ、自分で働き、自分でお金を稼ぎ、買わなければね」

我ながら絶妙な言い逃れをして、スポーツ雑誌に出ていた、プジョーとビアンキの写真を切り取って部屋に飾り、涙ぐましいカモフラージュの努力をした。母をだましている後ろめたさが少しはあったが、大航海の夢は大きく膨らむばかりだ。

津波君の家での打ち合わせで、一番時間がかかったのは、やはり装備の事だった。

炊事は出来るだけ燃料を使わないように考えたが、やはりコンロのガスボンベと七輪の木炭と、どちらにするか？　迷って、結局は両方用意することにした。

簡単な煮炊き物はコンロ、ランビキには七輪の木炭がいいのでは、という結論になった。

ランビキの鍋などの仕掛けはどうするか？

コンロは最大火力で約一時間、炭は何時間くらい持つのか？　量を決める必要もあった。

食料関連の釣りや銛、網、等の魚関係は津波君に全て任せた。津波君はアジアのどこかでやっている、凧を使った空からの釣りもしてみたいと言った。

新鮮な野菜、果物は長期保存出来るものを選ぶようにリストを作って、量を決めることにした。そして実験をやらなければならないことが、まだまだあった。

例えばサツマイモはランビキの蒸し器を使うとして、100％海水で蒸したジャガイモの味は？　とか、さらに健さんにサバニの操縦法を習わなければならないし、運天君がこだわった山羊の餌のことも議題になった。そして一番の問題は、そんなに簡単に乳が出るのか調べなければならなかった。運天君が、そこは責任持って準備すると言った。

未知の事が多く辛いこともあったが、皆で話し合う時間が楽しく、いつの間にか時間が過ぎて行った。津波君が「中学には夏休み前に試験というものがあるらしい」と言い出した。そういえばそんなものがあるようだ。今の三人には、お勉強なんかどうでもよかった。

沖縄の空のようにカラッと、スッキリ雲一つなく、親は子供たちを信じて、何も言わないのがうれしかった。航海計画表の紙面も大分埋まってきた。この計画表の品物が出そろったら、町の販売店に行って価格調べ、それから食糧の保存などの実験もしなければならなかった。我々身長と体重から一日の最低限必要なカロリーを、運天君が割り出した、それによると体重にもよるけど大体1400キロカロリーくらいらしい。食糧もこれを目安に選ぶことにした。必要薬品、一日中、櫂を漕ぐので軍手やバンドエイドも多めに持って行くことにした。

救命具、コンパス、海図、海流も調べなければならなかった。

天候を知るためにラジオは持って行くことにした。これは津波君が手回しラジオを持っていたので、早速使ってみた。電池使用のが多いのに何故、こんなものを持っているのか聞いてみると、海で電池はいつ切れるかわからず、やはり天気予報を聞くためだという事だった。しかし、一番重要なのは、地震。国内だけでなく外国での地震の津波《つなみ》ニュース等にも備えていたらしい。救命具はサバニのあった納屋に沢山あると言った。

少し古いから一度使ってみることにした。サバニの講習、アルバイト、今年の夏休みは忙しくなりそうだ。スーパーでチャリンコを母に買ってもらわなければと、思っていたけど、ロードサイクルを買うと言った手前、言いにくい。運天君が家に余っているのがあるから、と言ってくれた、以前にヤンバルクイナを見にいった時の自転車だ。徐々にではあるが、計画は進んでいった。海の向こうに、死んだ人に会えるニライカナイは本当にあるんだろうか、半分以上信じていないけど、そんな楽しみの前の計画も、また楽しかった。晴れ渡った沖縄の海に、エメラルドの青とまっ白なサンゴの砂浜が戻ってきた。

試験の日は学校が早く終わり、時間が十分にあったので、町の金物屋に出かけたり、食品の値段調べをした。最近の鍋窯、ヤカンなどは、美しい色とデザインのものが多く、ずいぶん高い値段がついていた。全員少し暗い気持ちになった。

来るときはバスで来たけど、お金の節約のために歩いて帰ることにした。植え付けが始まったサトウキビ畑の道が近道だと、二人の後をついていったが、どうやら彼らは道に迷ったらしい。しかしその先の道端に腰を下ろして、お茶を飲んでいた老夫婦を見つけた。運天君が道を聞きに走った。老夫婦はサトウキビの挿し木植えの手を休めているようだ。反対に老人が手を振って声をかけてくれた。

「お兄ちゃん、お茶でも飲まんか」

お茶をごちそうしてくれた。

「こんなのがいいのにな」

運天君が小さな声でヤカンを見て、目配せをした。

「このヤカンがどうかしたんかな」

老婆が不思議そうに聞いてきたので、最近の鍋やヤカンが、あまりにも高いこと、もっと安いのを探していることを正直に言って、

「こんなヤカンどこに売ってるんですか」

「これか、最近はこの辺も、ハイカラなもんばかりだからな、こんなのはもうないかもな、三十年以上も前に買ったからな、何につかうんだ?」

まさかニライカナイ探しに、なんて言えないから、

「キャンプ。大潮の磯遊びに」

津波君がうまく、言い逃れた。すると、

「婆さん、家にまだ幾つかあるだろう」

久しぶりに又、あの〝ゆいまーる〟だ。津波君が、

「オジィ、この一畝で終わりか？　俺たちでするから」

三人でサトウキビの挿し植えをすることにした。二人は慣れたもので、僕は彼らを見ながら植えていった。作業はすぐに終わり、二人はとても喜んで、ヤカンをくれるために家に案内してくれた。農家の物置には農機具やら小型トラックが格納されていた。

オバァが物置の奥からヤカンや鍋をいっぱい持って来てくれて、

「全部、持って行きなさい、ジイさん、道に迷ったらしいから車で送ってあげて」

「何でこんなに新しいのに」

運天君が聞いた。驚いたことに新しいものばかりだった。

「息子たち夫婦に買っておいたけど、東京に行ったまま帰ってこないから」

この太陽と風と広大な畑、そしてこんなに優しい父母を置いて、今頃は、多分コンビニ

弁当、地下鉄通勤、休みは夫婦でファッションブティック、東京にはやさしく甘いサトウキビ畑はない。あったとしても、それは苦い香辛料のレストランばかりなのに……幌をかけてくれたオジィの小型車の荷台で、僕は一人ぼんやりと考え込んだ。多分、昔はみんな助け合って生きてきたんだろうな～。それが何故、今、東京には無くなったんだろう、隣の人の事は何も知らないのに、遠くの見知らぬ人のことは、テレビや新聞雑誌なんかで全部知ってしまった気になってしまう。しかし、その匂いも手触りも何もわからないのに、あたかも深く知ってしまったかのような錯覚に陥ってしまい、ややこしい現実を避けて、簡単な方法で虚像を信じてしまう。目の前の現実は、いつもややこしいけど、手触りやぬくもりの妄想はいつまでも消えずに残っているのが、不思議だ。

　学校は何事もなく、夏休みに入ろうとしていた。

　運天君と僕は8月中、一カ月の仕事なので、あらかじめ先輩について見習研修を明日から三日ほど、受けることになっていた。それが終わったら、運天君が頼んでおいた健さんに、サバニの講習をしてもらうことになっている。夏休みにこんなにやることが多いのは初めてだ。何か明日に向かって生きているという感じがしてきた。アルバイト研修の日、主任の新垣さんに紹介された指導してくれた先輩は、人のよさそうなおばさんだった。

おばさんの指導の下、初めてのホテル清掃アルバイトが始まった。

ベッドメイク、床絨毯清掃は部屋の奥からするように、これは絨毯に足跡を残さないための配慮だそうだ。バスルームの歯ブラシ、タオル、など新しく常に清潔に、トイレ掃除は念入りに等、おばさんは厳しく指導した。そして最後に、

「絶対に、どんな物でも客の忘れ物は管理者に申告するように」

と言って急にやさしくなって、僕たちにアイスクリームをおごってくれた。

「アルバイトして何を買うの？」

「本を買ったり、自転車買ったり、東京に行ったり、親に負担かけないように」

僕たちは差しさわりのない返事をした。

「偉いね、東京ではどこに行くんだ、ディズニーランドかい？　私も東京にいる孫にねだられて、毎年ディズニーだよ。人、人、人、どこが面白いのかね、あんなドブネズミのぬいぐるみにキャーキャー騒いでね」

このおばさんはミッキーマウスの本質をよく御存じだ。

僕はうれしくなって、こんな詩があるんだよと、二人に披露してしまった。

夜のミッキー・マウスは
昼間より難解だ
むしろおずおずとトーストをかじり
地下の水路を散策する

けれどいつの日か
彼もこの世の見せる
陽気なほほえみから逃れて
真実の鼠に戻るだろう
……

これは谷川俊太郎という人の、僕の大好きな詩で、よく分からないまま、何故か全部暗唱して小学校では大ウケ。他に〝朝のドナルド・ダック〟とか〝詩に吠えかかるプルート〟なんかがあって、今までディズニーなんて、子供の遊び場だと決めつけていた、へそ曲がりの少年を目覚めさせた詩だ。おばさんは少し驚いた。本当は正子さんの気を引くために、丸暗記した思い出の詩のはずなのに、何故、ここで口走ってしまったんだろう？　今の僕たちは夜のミッキーより難解だ、在るか無いか、わからない国に陽気なほほえみから逃れて、旅立とうとしているのは、なぜなんだろう？

次の日〝夜のミッキー・マウス〟の暗唱については少し反省した。

あの詩は正子さんのために覚えた詩だったのに、正子さんを思い出してもそんなに悲しくはなかった、来年には会えるかも知れないという思いなのか、それとも、本当にもう忘れてしまったのか、あまり悲しさはなかった。

しかし運天君が「昨日は驚いたよ、君が詩が好きだったなんて。あの詩はお兄ちゃんがよく口ずさんでいた。詩が好きだったんだ」時々、浜でいろんな詩を教えてくれた。

今でも覚えているのは、まどみちおの〝うみとそらだ〟

うみは　おとうと
そらは　にいさん
あおい　あおい
あおい　ゆめを　みてる

いつも　いつも
ふたりで

うみは　おとうと
そらは　にいさん
あおい　あおい
あおい　うたを　うたう
いつも　いつも

そう口ずさんだ彼の表情が、とても悲しそうだった。

バイトのための三日間の研修は終わり、7月の残り一週間くらいで、健さんにサバニの講習をしてもらうことになった。津波君の家に来て、納屋を見た健さんは驚いた。

「こんなリッパなサバニがまだあったなんて、帆も櫂も完璧だね。これを海に出す前にやるべきことがあるから、皆、手伝え」

津波君と健さんは、漁港にある漁具の店に、舟底に塗るペンキと新しいロープを買いに行った。僕と運天君は、舟底に付着していた貝殻の跡などをきれいにやすりをかけて平らにする作業だ。沖縄の夏は海風のせいか、太陽の強さに比べ心地良い暑さだった。

作業中、運天君が突然、

「あのミッキーマウスの詩の続き、ドナルドダックのも聞きたいな」

「じゃ。やってみますか」

運天君の表情が悲しくなるのが嫌だったので、わざとおどけて言った。

私はドナルドと話しているんだ
誰にも聞こえない夢の言葉で
ガアガアと家鴨は私に教えてくれる
満足すればいいのさと……

僕は次のところが好きだったんだ、運天君がボソッと言った。

このままでそのままであのままで……という次のところだった。

多分、僕は子供心にずっと家族が一緒でいたかったんだな、きっと。

しんみりし始めたとき、健さんたちが戻ってきた。健さんには母親たちがある程度のお金を渡していたらしい。アイスクリームも買ってきてくれた。しんみりした気分にアイスの甘さが沁み込んできて、少し沈黙をしていると、「どうした太郎、元気ないぞ」健さんの言葉に運天君が、

「彼も詩が好きなんだって。兄ちゃんが何もわからない僕に風呂の中で聞かせてくれた、あのミッキーの詩なんて丸暗記。自由自在」

最後のとこがよくわからなかったけど、僕は懸命に貝殻を取る作業に没頭した。

「この舟は多分昔はサメの肝臓をつぶして塗ったんだと思うけど、今回はペンキで我慢、我慢」

健さんが言った。

「なぜサメの肝臓なの？」

津波君が聞いたけど、

「よくわからんのだ。多分サメの肝臓を塗ると小魚が寄ってきて、それを狙ってサメがやってくる。それを狙って海人がサメを捕る。本州の人がよくサバニをマサバと間違うけどここはマサバは少ない。もともと、サバニはサメを捕る舟だったから、こんな推理はどう

かな」

手分けしてサバニのペンキ塗りが、始まった。

この塗料は貝殻や藻が舟底に付着しないペンキだという事だった。

全員でサバニをひっくり返した、意外に簡単に返すことができて健さんが言った。

「サバニは作る時も、海に出た時も傾けやすく設計されている、これは後で海で訓練した時教えるから」

そして、舟底を確認したり側面に隙間が無いか、チェックして隙間などにパテとか接着剤を注入してから、静かに言い出した。

「せっかく、こんないい舟があるから、君たちに昔から沖縄も海人が使っていた、サバニの各部分の呼び名を教えるから、沖縄の人たちと海との深いかかわりとして、よく覚えておくように」

健さんは片隅に置かれていた、櫂を指して、

「〝ウェーク〟帆の事は〝フー〟そこのロープは〝ティエンナ〟その塵取りのような物は〝ユートゥイ〟これは水をかき出したりまな板や食器にも使うんだ。舳先は〝ヒーサキ〟舟の後ろは〝トゥム〟。今、塗ってる舟底は〝カーラ〟。これは舟をひっくり返すと屋根み

たいになっているから、瓦から来ているかもしれないと新聞に書いてあったな！　これ等は、古くから海で働く海人の専門家の誇りのようなものだ。講習の終わりに試験に出すから、よく覚えておくように」

健さんは笑って言ったけど、我々にはちょっと、試験というところが引っかかった。

ペンキ塗りは全員ですると早く終わった。僕はペンキを乾かす合間に、健さんにランビキの図面を見せて、

「僕たち、これ作りたいと思っているんですが、この部分を陶器で作れますか？」

健さんは図面をしばらく見て、

「出来ると思うよ、なぜこんな物を作ろうと思うの？」

「僕たちの夏休みの自由研究にしようと思って、江戸時代の国内船舶の緊急ツールの研究です。今月号の学習雑誌の（夏休み自由研究テーマ探しのお手伝い）の記事だと、日本全国の中学生は皆、同じになってしまうから……我々は独自で……」しかしそんなことあるのか現実にあるのか？　出鱈目な答えに健さんは追及しなかった。我々の来年度、遠洋航海計画の水補給用になんて、正直に言うと、腰を抜かしそうだから、うまく言い逃れをしたのだった。

健さんが夕方帰っていった後、二人は僕がうまく言い逃れたのを感心したらしく、「言い逃れの天才」と評した。

「当たり前だよ、僕の本名は〝言い逃れ太郎〟鈴木太郎は仮の名前です」

三人で笑った。久しぶりの大笑いだった。

ほとんど一日中、外での作業で陽に焼けた顔が熱く、燃えていた。しかし、我々の遠大な来年の計画を思うと、その何十倍も体中が燃えていた。それにしても、本職は陶芸家なのに、健さんは沖縄の漁労文化に詳しいな。運天君に聞くと本当は、歴史の先生を目指していたらしいけど、アルバイトで陶芸工房の仕事をしてから、はまったらしいんだ。沖縄の人の人生は、自由で気持ちがいい。僕も好きに生きて行くぞ！　将来のもやもやが何故かすっきりした。


「ずいぶん陽に焼けたね、毎日何しとる？」

「津波君とこで色々と沖縄の海文化を勉強しとる。来月からアルバイトがあるし……」

母が今日は珍しく、手料理を作った。ゴーヤチャンプルは健康にいいからと、我が家の定番だけど、今日はヘチマチャンプルだった。

ヘチマはゴーヤと比べて苦みがなく、妹も僕も食べやすく、すぐに好きになった。しかし東京ではヘチマは、体をこするものと思っていたので、びっくりした料理の一つだ。

グルクンのから揚げやシマ豆腐も出て、何故か今日の母は上機嫌だった。

父からの連絡で少し早く沖縄に来るという、連絡があったらしい。

次の日は健さんが早く来てくれた。ペンキの渇き具合を見て、

「明日から海で実習です」

我々は全員、オーウッ！　大声を出して喜んだ。健さんもうれしいらしく、声を出して答えた。

この日の午後は健さんが用事で那覇に行き、我々だけでランビキに使う窯を探しに行くことにした。運天君が先日のサトウキビの植え付けを手伝った、オジィとオバァの家の物置に餅の蒸し器釜らしいものがあったと言い出した。

それを見に自転車で行くことになったが、途中で天気が崩れ、空はみるみる雨雲に覆われはじめた。津波君が、先にある大きなガジュマルの木の下を指さして雨宿り、雨宿りと言いながら走った。大きなガジュマルの木は空が見えないくらいに葉が茂り、枝からの気根は三人を隠すほど、幾本も垂れ下がっていた。

二、三粒の大きな雨が、乾いた土の道に吸い込まれた瞬間、ドゥッと雨が降り出した。

これが南国のスコールなんだ。雨はガジュマルの木がよけてくれたのか、あまり濡れなかった。雨はすぐに止み、辺りは明るくなってきた。しかしガジュマルの木の下は、不思議とまだ暗いままだった。見上げると、生い茂った葉の隙間から光が漏れて、その光の中だけに一瞬の風が起こった。そして小さな赤いものが枝を走った。津波君も運天君も見ていた。長い沈黙があって、〝見た？ 見たか？〟お互いに言い合った。運天君が、

「あれだよ、あれがキジムナーだよ」

僕の方を見て早口で言った。津波君もうなずいていた。前に、お台場で見たVRを思い出した。あの体感に似ていた、しかしあの時は重いヘルメットを着けていたけど、今は現実のイメージを知覚してたのか、二人はVRなんか体験していないだろうな。しかし現実のイメージで体感しているのだ。もしかしたらあの、「この宇宙は全て仮想現実だ」説は正しいのかもしれないと思った。

「誰も屁をこかなかったよな？ 俺たちの旅立ちはうまくいくぞ」

津波君が急に元気な大声を出した。

「キジムナーに気にいられたみたいだから、大丈夫だ」

運天君はうれしそうだった。

キジムナーは以前にタコと屁を嫌うと聞いたな、ガジュマルの木の下も、徐々に明るくなってきた。サトウキビ畑の道を三人は自転車をとばした。

雨上がりの冷えた風が顔に気持ち良く、遠くの沖に積乱雲が垂直に立っていた。


オジィとオバァは、庭の木陰に置かれた椅子に腰かけてお茶を飲んでいた。

我々が勢いよくやってきたのを見て、少し驚いた様子だった。

すぐに三人が声をそろえて〝キ、キ、キジムナーを……〟最後まで言い終わらないうちにオジィは、

「道端のガジュマルの木じゃろう」

「オジィも見たことあるの？」

運天君が言うと、

「ワシが子供の時から、おいでになっておられたんじゃよ。ちょうどいい、ちょっと一緒に来てくれんか？」

オジィは急いで三人を車に乗せて、どこかにつれて行こうとしていた。行先は町役場だ

った。中に入ると職員がオジィの顔を見て、一斉に立ち上がった。後で聞いた話だけど、オジィは何年も昔、村長さんを務め、この地区のために尽くした人として、今でも皆に尊敬されているという事だった。

オジィは僕たちを連れて、役所の一番奥にある町長室（現在は町になっていた）に入った。町長らしき人は驚いていたが、オジィだとわかると、椅子から立ち上がって、最敬礼をして、

「今日はどうなさいましたか？」

オジィは静かに、

「前にも言っていたんだが。あのガジュマルを切ったらいかん、君たちは信じなかったけど、あの木にはキジムナー様が住んでおられると言っただろう。あの木は残しなさい。さっきこの子たちも会って、急いでわしのとこに駆け込んできたぞ」

津波君が、

「あのガジュマルの木に雨宿りに入ったけど、皆で見た」

運天君も、

「雨が上がった時だった。キジムナー様は急いでおられるようだったです」

彼も何故か敬語になっていた。

僕も何か言わなければと、

「あの見事なガジュマルは、この地域のシンボルです。失われていく沖縄の宝物です。切られるというのは知らなかったけど、大事にしないとタタリがあるかもしれませんよ」

町長は、見知らぬ子どもを引き連れて、やってきたオジィの迫力に参ったようだ。

「わかりました、設計変更を検討いたします」

町長は急いで担当を呼んで、設計変更するように命じたけど、若い担当は中々首を縦に振らなかった。町長が、

「確か君の家は最近、新築したばかりだな？　火事になっても知らんぞ」

「そんなもんは迷信ですよ。こんな現代の世の中で、そんな事、笑われますよ」

若い担当は反抗的だった。するとオジィが、

「この子たちが、今、見たと言って駆け込んできたんじゃ。キジムナー様は昔から、お住まいの木が切られそうになると、お怒りになって、出てこられると言われているんじゃ。嘘だと思うなら帰って君のお爺さんかお婆さんに、子供の頃、隣村であった火事の事聞いてみなさい」

それは昔、隣村のガジュマルの木を切った人の家が、原因不明の火事で死亡者が出たという痛ましい事件の事らしい。

「あの木がそんな神聖な木ならパワースポット、心霊スポットとして、きっと観光の目玉になりますよ」

僕は何の確信もない、不謹慎で、都会的で今日的な言葉を続けた。

本当はこんな週刊誌的な話は、東京では信じていなかったけれど、何故かガジュマルの木から駆け降りてきた物体を見てしまった現実が、驚くほど強い口調になっていた。

若い担当が、納得いかない様子なので、オジィはさらに続けた。その声は役所内に静かに響き渡った。

「君も沖縄の若者なら、宮古のユナイタマ伝説の話も知っているじゃろ。沖縄には古くから自然を守るために、言い伝えられた話がいっぱいある。その中の一つだ。ユナイタマ様はジュゴンの事じゃ。その肉はごちそうで、食べると長生き出来ると信じられて、乱獲が続いたんじゃ。ジュゴンはきれいな海にしか生えない海草を食べておる。海を汚したりジュゴンを乱獲すると海の自然が壊されてしまう。宮古の下地島の漁師が、ユナイタマ様を捕らえて焼こうとすると、日頃、海で遊んでいた漁師の子供が、早く高台に逃げろと泣き叫んだが遅かった。すぐに大津波がやってきた。料理される寸前のユナイタマ様が、海にいた仲間に助けてくれるように頼んだからだ。島民はみんな流されてしもうた。

ユナイタマ様、大自然の命を大切にしなければいけないのに、今また、皆忘れようとしておるな～。ユナイタマ様の海をさわると、きっと災いが起こるぞ！　海も、陸も沖縄の自然は大事に扱わなければいかん。その教えがご先祖様が残された大切な言い伝えだ。特に役所の人は、皆のお手本にならんといかん」

若い担当は静かに聞いていた。役所の人も全員、耳を傾けていた。

後日、聞いた話だけど、どうやら町道は、あのガジュマルの木をよけて工事されるらしい。

オジィは帰り道、僕たちにアイスクリームを買ってくれた。沖縄のアイスクリームは、気候のせいか、外人が多いせいか本当に美味しい。

オジィの家に着くと、早速、オジィが何故来たのか？　と本題を聞いた。蒸し器の窯の話をすると、最近は、ムーチ餅も家で作らなくなったから、物置のどこかにあるはずだから、勝手に探しなさいと言ってくれた。

三人で物置を探して、見つけ出したけれど舟に置くのには少し大きいようだ。

しかし、小さな鉄製の七輪を見つけ、これがほしいと言うと快く承諾してくれた。

「こんなもん何に使うんだ、浜遊びでないんじゃろ」

あまり嘘をつきたくないので、

「海に出た時の料理の煮炊きに使ってみたくて」

「舟でバーベキューか？　若いもんはいいな、色んな事考えるな」

丸々の嘘でないので、少し気が軽くなった。

七輪は津波君の自転車に乗せて、あのガジュマルの道を帰った。

そばを通っても、全員、あまり木に近づかなかった。通りすぎてから自転車を降りて、遠くから木を眺めながら、キジムナーの姿を思い出していた。

こんな畑の真ん中に一本だけ残ったガジュマルに住まうキジムナーの事を考えると、少し寂しかった。こうして昔の色々なものが消えていく。それは動物や植物が絶滅していくのと同じように、元に戻らない。今日のオジィの話は、感動した。

早速、帰って志織に話した。

「そんなお話は、学校でも聞いたよ」

そっけなかった。

もう一つのキジムナーと出会った事は、そっと秘密にして話さない事にした。

翌日は快晴、今日はいよいよ海に出て訓練が始まるのだ。

津波君も運天君も緊張していた。波も静かでコバルト色の海は、サンゴ礁の深い青と海に入り込んだ白い砂浜の海の色を、くっきりと色分けしていた。

健さんがやってきた。まず最初に、全員に長ズボン、長シャツ、帽子をかぶるように命じた。僕はあらかじめ、海水パンツと体操着を持参してきたが、地元の二人は太陽に馴れているので、持参してこなかった。健さんは僕にだけ、

「明日は、長ズボン、長シャツ持参するように」

と言った。そして物置の中にある救命胴衣を探して、全員に着けるように言った。

津波君も運天君も、子供の時から海も陸も同じ遊び場だったから、そんな物いらないと言いはなった。しかし、健さんの、

「海は色んな顔を持っている。海の上の太陽も同じだ。時にはやけどするゾ、今まで体験したことのない海も太陽もあるかもしれないから用心にこしたことはない」

の一言でしぶしぶ二人は胴衣を着けた。僕は長そでを着た。サバニを小さな車輪を付けた台車にのせ、浜まで敷かれた板の上をゆっくりと移動させた。

勾配で、急に走りださないように後方でブレーキの綱を持つのが僕の役目だ。

サバニが海に入った。左右がとても不安定で乗り込むのが非常に難しかったが、一人一人慎重に乗り込み、横転することもなかった。

舟内には健さんが用意してくれた櫂が四本そろっていた。最後に健さんが舟を沖の方に押し出して飛び乗った。サバニは大きく揺れて波を切った。

一本ずつ櫂を手渡し、前方の右舷に僕と運天君が座り、後方の左舷には津波君が座った。健さんは一番後ろで、左右の我々を見守っていた。

波を漕ぐ部分が長い櫂は、皇居の千鳥が淵で乗ったボートの櫂と違っていた。

僕は運天君の漕ぐのをまねて懸命に漕いだが、津波君と健さんの力強い櫂の推進力に左に転回してしまった。それを見て健さんが右に櫂を変えて漕いでくれた。

左は津波君一人だったけれど、その馬力はすごいもので、健さんが、

「津波君は三人力だ」

と驚いた。しかし舟は回転して前に進まない。

一人が頑張っても舟は回転して前に思うように進まない、ということがわかった。

健さんが、

「よくわかったか、舟を漕ぐときは全員で調子を合わせて漕がないといけない。皆で右、左、右、左と声を掛け合って進んでみよう」

その声に合わせて懸命に櫂を漕いだ。少しずつ舟がまっすぐ進むようだ。しかし、普段使っていない手の平にマメが出来たのか焼けつくように痛かった。健さんは何回か沖に向けて進んだり、海岸線に沿って進むように指示した。しかし、まだまだ、ぎごちない動きしかできなかった。

「少し浜で休もう。一日中の太陽はきついので無理しないように…」

手の平はマメがつぶれ出血していた。浜に着いて津波君が家からバンドエイドと消毒液を持って来てくれた。津波君も運天君も、手のひらにマメはなかった。僕だけが一人、都会育ちのひ弱さをしみじみと感じてしまっていた。

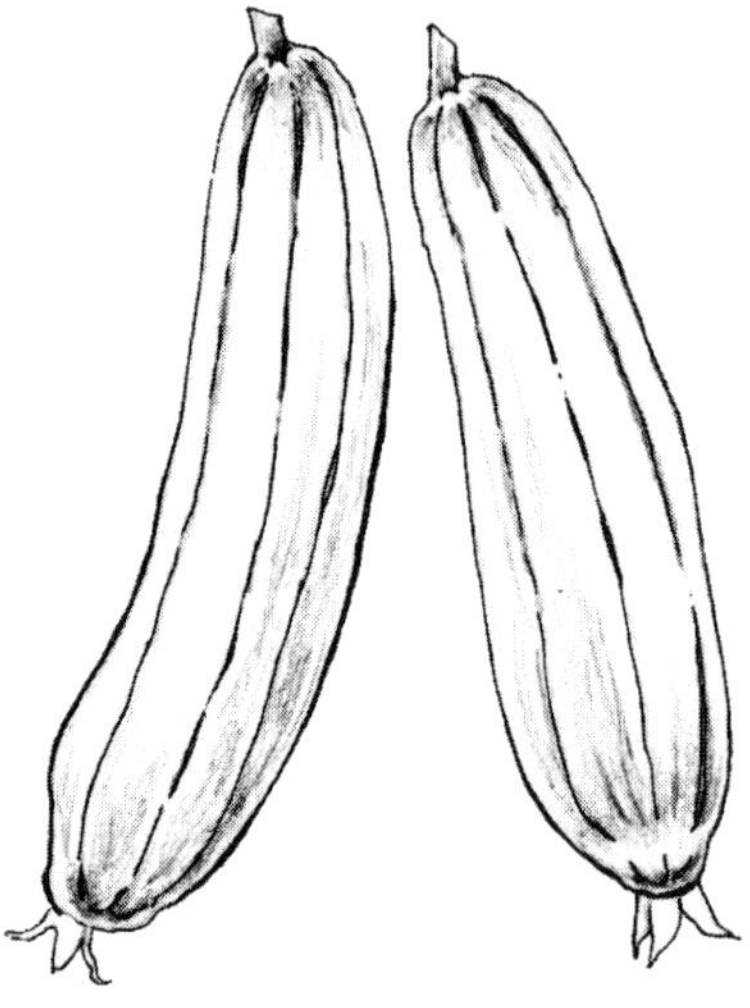

ヘチマ

5 海人

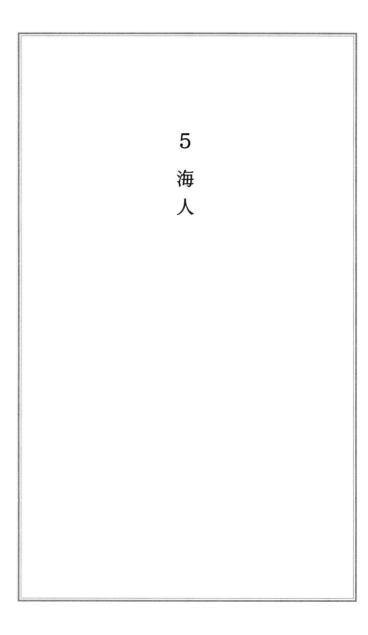

海人の　手のひら白き　月明り
海人の　土産話は　鮫　鮫　鮫

蝉麻呂

昼食後、ゆっくりと休んで、また舟に乗った。

手のひらのマメも痛かったけど、首や手の甲にあたる太陽の光も痛かった。

徐々にではあるがまっすぐに進むようだ。しかしこれは、後方で健さんがコントロールしてくれるからだ。サンゴ礁のリーフの外に、少し出た。波が少し高く舟は左右に大きく揺れて、波の乗り越え方、等を細かく教えてくれた。健さんはすぐに引き返すように命じて、海水パンツとTシャツだけになるように言った。救命胴衣のベルトをそれぞれ、チェックし、僕のマメがつぶれ血の付いた物を全てとって新しいものに変えた。血の匂いに敏感なサメ除けらしい。そして再び海に出た。

リーフを少し出たところで、健さんは舟を左右に揺らし始めた。サバニの舟は海人の漁に合わせ、一方に重心をかけると舷側が極端に傾くようだ。

これは、大きな獲物を舟に引き上げやすくするためか、舟から海底を覗きやすくするためか、とにかく左右に大きく揺れ、海水が舟内に流れ込んだ。

腰のあたりまで入った大量の海水と、健さんの揺らしで舟はゆっくりと沈没し始めた。

健さんは皆に、

「舟から離れるな、どこかにつかまれ、放すな」

健さんのいきなりの声に、サバニの舷側をつかまえるのに必死で、僕は櫂を放してしまった。

舟は舟底を空に向けて、完全に転覆した。三人は必死で舟底につかまった、健さんは僕の流してしまった櫂を拾って、

「これが無ければ帰れないぞ」

と言って櫂を渡すと、全員、ひっくり返った舟の下に潜り込むように命じた。皆、舟を頭から被った。

皆が舟を被り、顔がかろうじてひっくり返った舟と海面の隙間に出すことが出来た。

健さんはひっくり返った舟の隙間から大声で、

「大波で沈《チン》したときの対処法、伝統的な海人の知恵だ」

三人は被った舟から出て、サバニをもとに戻そうとしたけど、これが大変だった。東京で受けた、ヨット講習会の時は転覆したヨットの船底にあるキールに登り、ひっくり返す

ことが簡単だった。キールのないサバニは大変だった。

「皆で力を合わせて、持ち上げるようにして前後からひねる」

何回か試すうちに何とか出来るようになった。健さんの力添えもあって、舟の向きは元に戻ったが、舟内は海水で半分沈んでいた。健さんは舟内にしっかりと縛り付けられていたゥエークを外し、水を搔きだした。今日は、何も知らない僕に、改めて海についての無知さを思い知らせる、とても重要な日だった。

「今日の訓練は緊急の時の訓練だけれど、海に出たら何が起こるかわからないから、いつも用心しておくように」

健さんは浜に戻り、ランビキのためにオジィからもらった七輪の寸法を測ってくれた。

「明日はまだ舟漕訓練だ。それから帆をかけたサバニ操船をやろう」

津波君も運天君も疲労困憊の様子だったけれど、

「〝一意攻苦〟〝雨過天晴〟」

久しぶりに津波君の四文字熟語の二連発が出た。

僕の手の平は血だらけ、顔は日焼けでボロボロ、多分、東京でこんな姿見た人は救急車を呼ぶかもしれないな、そう思いながら家に帰った。

家に帰ると母も志織も、見るも無残な僕の姿に驚いた。

しかし、もっと僕が驚いたのは志織のコスチュームだった。赤い帽子、どこかの兵隊のような真っ白なシャツに赤い肩章、

「一体どうしたの?」

「どうしても夏休みの海洋少年少女団に入りたいというもんだから……」

東京で部屋に引きこもってゼイゼイしていた志織が、手旗信号の紅白の旗を小脇に抱え込んで、ポーズを取って、

「もう私は50メートルは泳げるから」

信じられなかつた。

母は満足気に、我々を見て、

「お前は連日、海で舟の訓練。志織は海洋団。やっぱりここは海の国だね」

「お母さん、ここだけでないよ。日本は全部海に囲まれているし、第一、人間は元々海からやって来たんだから、その証拠にイルカの胸鰭のレントゲン写真を見ると、人間の指と同じ五本の指の骨がそっくりだし、生まれたばかりのイルカの上顎には産毛が残っているんだよ、我々によく似ているよ」

久しぶりのウンチク三連発を爆発させた。

我々航海三人が、目指そうとしている東の海の方から、人の命がやって来て、死んだら帰っていくというニライカナイの存在事実を確かめなくては……。しかし最近、絶対に信じていた正子さんに会えるという、昔の信念は、少し薄らいで海の冒険の興味の方に傾き始めた。

それにしてもひどい日焼けの顔を見て、母が取りだしたのは、有名なビルマ発祥の万能薬タイガーバームだった。火ぶくれの火照った顔には、気持ち良かったが、強烈な匂いに夕食のハンバーグが、タイガーバーグ強力香りの味になっていた。

翌日は、しっかりとつばの広い帽子と絆創膏、包帯を大量に持って出かけた。

そして、母が夕べのハンバーグをみんなで食べるように持たしてくれた。

地元の二人も、顔は日焼けで真っ赤だった。健さんはさすがに、昔、海で仕事をしていたから、顔色は全然変わっていなかった。

「今日もいい天気だから帆走をしてみよう。その前に安定を保つために、もう一つアウトリガーの代わりに小サバニを付けてみよう」

そう言って納屋の隅に置いてあった、もう一艘の小さなサバニを持ち出すように言った。

アウトリガーというのは英語らしく、日本語では舷外浮材と訳すらしい。船の安定性を増すためのものらしいが、以前、僕がヨットの講習を受けていた頃のアメリカズカップの船艇が、大きく変わって、二つの船がくっついて海を走っているというより、空を飛んでいるようになっていて、安定もよくなり何か味気ないものになっていた。スリルのないスポーツはつまらないと思っている僕にとっては、いささか物足りなかったが、我々の航海では安全性第一なので大歓迎だ。

サバニの舷側に取り付けるためのアウトリガーは、しっかりとしたボルトで取り付けるようになっていた。そして、マストを立て帆を取り付けた。

リーフの湾内は波は静かだった。サバニの側面に取りつけられたアウトリガー、(舷外浮材)は、昨日までの舟の不安定さを十分に和らげていた。

帆柱に帆を巻き上げる前に、健さんが急に真面目な顔になり、

「帆を付けたサバニを扱うときの注意、この目の前の海には波があり、そして風もある。さらに空や雲があって、自由にどこへでも連れて行ってくれる。我々は波、風、空といつも、仲良くしていくことが大事だ。津波君はオジィからその辺はよく聞いていただろう」

津波君はうなずいていた。健さんは、波と雲をじっと見ていた。大分、慣れてきた櫂で、

湾の外に出て帆を上げた。最初は、津波君と健さんが帆の引綱を持って、我々は右舷左舷に別れ、櫂を持った。風は陸の方から吹いていた、帆を上げると、風を受けた帆が大きな音を立てて、急に進み始めた。健さんは我々に右、左、と声をかけて櫂を海に入れることを命じた。ブレーキのような役目のようだ。右に櫂を入れて海の抵抗を増すと、舟は右に曲がり左を入れると左にカーブした左右の櫂を海につけて、水面を切ると直進した。どうやら舵の役目をしているようだ。湾の外は少し波があった。波を切り波に乗り、最初なので出来るだけ陸に平行に走った。少しずつ慣れてくると、波と風の関係がよく分かった。空は波を切るときの目の前に広がる舟の行く先だという事が分かった。

昔、ポリネシアの海洋民族の民が小さな舟で、ハワイや周辺の島々に、遠足のような気軽さで旅立った事がよく分かる。多分、見たことのない楽園の島々を目指したのだろうけれど、別の楽しみは、この風と波と空になって、航海する楽しいスリルがあったのかもしれない。

陽に焼けた顔に当たる、風や波飛沫が気持ちいい。

引き綱を引く訓練は、全員が交代で体験した。帆の綱と櫂の関係も何となく、分かりかけてきた。もうどこにでも行けるな、と思った瞬間、急に風が変わり舟が大きく傾き、旋回しはじめた。

健さんが、

「空を見ろ、あの雲の流れる方向を見て、今までの流れと違っているだろう。雲の流れが風を教えてくれる。覚えておくように」

空には一つ、灰色の雲が流れていた。今までの白い雲が知らぬ間に変わっていた。健さんはわかっていたらしいが黙っていた。ただぼんやりと景色に浸っている事なんかできないんだ。海の上では、いつも緊張が必要だという事、肝に銘じた。

風向きが変わり、健さんが綱を引いて帆の向きを変えたので、また安定して舟は進んだ。何回も舟を操る事を繰り返して、遅い昼ご飯を食べることにした。

海の上では、時間がアッという間に過ぎていった。長い時間の訓練でお腹がすいていたのか、昨日のタイガーバーグではなく、普通の匂いのハンバーグで、すごくおいしかった。

皆が昼食をとり終わって、休んでいたら、健さんが陶器で作ったランビキの海水の蒸気を集める釜の内部の試作品を取り出した。

津波君が七輪と鍋を持ち出して、今日のもう一つのビッグイベント、海水→真水変換器の実験に差し掛かった。

七輪の燃料は、何を使うか？　薪か？　炭か？　卓上ガスか？　それともキャンプ用コールマンのガスバーナーか？　我々のプロジェクトを念頭においた検討会議に、健さんは少し戸惑っていた。

「何でもいいいんじゃないの、炭でも、薪でも、卓上ガスコンロでも、手に入るもんで」

結局、卓上ガスコンロを使うことにした。

オジィからもらった七輪ガスコンロにボンベを入れ、大きな鍋を置き、海水を入れた。健さんの作ってくれた陶器のランビキをその上に置き、ランビキの上にはアルミの鍋を置いた。その鍋に冷えた海水を入れ、蒸気を冷却すると、アルミの鍋の底に着いた湯気が蒸留水を作り、その蒸留水を受けて、樋を伝って外にたまるという仕組みになっている。

大きな鍋の海水はそんなに簡単には沸騰しなかった。待っている間、健さんと運天君は何か話していた。多分、消息を捜しているお兄さんのことだろう？

しばらくして海水が沸騰すると、少しではあるが二、三滴ずつの水滴が外に取り付けてある蛇口から落ちてきた。急いでカップで受けて、溜まった水をなめてみると、気のせいか少しは塩味を感じるが、飲める水だ。ついうっかり運天君が「使えるな」と言ってしまった。

健さんが、

「無人島に行くわけでもなし。今じゃペットボトルの水があるでしょう」

「いや、ロビンソンクルソーや昔の漂流記体験ごっこの話です」

健さんはそれ以上、追及しなかった。遅い午後に又、何度か帆を上げての訓練をした。今度は雲を見て、風を見て、皆で注意しあった。今月一杯で健さんの講習は終わり、来月からはアルバイトだ。

健さんに、是非、聞いておきたいことがあった。それは夜の航海の事だ。

「暗い夜の海で帆走したことありますか？」

僕が一番聞きたかったことだ。

「あるよ、月や星のない夜は鼻をつままれてもわからない、まっ黒な海では、どこに居るかも？　どこに行くかも分からない、本当に恐ろしい。沖の暗闇にボーっと光っている物もある。波の上を走る物もいる。そんな時いつも思い出すことは、アメリカインディアンの伝説だ。太陽は朝、東の空に上がって正午には頂点に達し、西の空に沈むと巨大な魚に呑み込まれ、魚の腹の中を通り、東の地平線へ、暗く長い〝夜の航海〟へ出る。それが夜だ。明日になれば必ず、また東から朝になる。夜の航海は、いつもあと少し、しばらくの辛抱だ。朝は必ずやって来る。めげないように、めげないように、そんな思いの連続だったな。そうだ最後の日の講習は夜の航海をしよう」

全員、少し不安だったけどワクワクした。ランビキの海水の蒸留水は、カップに半分くらい溜まっていた。沖の太陽は、今にも巨大な怪魚に呑み込まれる寸前だった。

今日はロングデイ、これからが暗い怪魚の腹の中。明日は又、太陽が上がりますように。運天君に借りている自転車のライトは暗かった。しかし、明日の夜の航海を想像するだけで、初めて正子さんと手をつないだ時の、その柔らかさとぬくもりを思い出した。

何もない暗闇は、きっと男と女を互いにぐちゃぐちゃに溶かしてしまうジューサーミキサーのようなもので、勝手にそれぞれの想像を全部粉砕して、僕と正子さんを飲み込んでしまう。

明日は又、怪魚のはらわたから潔く飛び出して海に出よう。

次の日はすごい夕立があった。テレビでよく見た熱帯地方のスコールのようだった。サバニの中にも雨がたまって掻きだすのが、間に合わないくらいだった。健さんはこんな雨と強い日差しをよけるために、やはりテントの屋根を付けた方がよいと、思ったらしい。

納屋にあったテントと、舟に着ける支柱を持ち出した。我々の計画を知っているのかな？

恐れていると、健さんは僕の日焼け顔を見て、前からかわいそうだと思っていたらしい。

「太郎は、太陽の光を浴びたことのない東京モヤシみたいだからな」

健さんの指図で屋根を取り付けた。

それともう一つ、舵もあることが分かり、取り付けることにした。

「古いサバニは櫂を使って舵の代わりにしていたんだけど、津波君のオジィは、サバニに舵を取り付けたんだ、きっと一人で遠くまで行っていたんだな」

津波君の夕食や昼食は、いつも近所の親戚の人が家に来て、用意しておいてくれていた。その親戚夫婦は老人で、主人の方はやはり海人だった。

今月一杯のサバニ講習が終わると、お礼に津波君も漁や、釣り船の世話係をすることになって舟に乗ることになっている。

この日の午後は屋根付き舵付きのサバニでの帆走訓練となった。幸い風も適当にあって、櫂の練習も帆の扱いも少しは慣れてきた。

これは僕以外の仲間が、生まれたときから海に入り、風の音や波の音を子守歌にしていた海洋民族のDNAを持っているからだろう。

今日は珍しく、津波君は舟に銛を持って来て、健さんに言った。

「いつも訓練の時、海底を見て、いい獲物がいるから、悔しくて仕方なかったので、今日は採ってもいいですか？」

「さすが海人の孫、明日のパーティー用の魚をどんどん採ってほしいな」

健さんが言った。

明日は最終日、夜間訓練と打ち上げ会だ、志織も母も運天君のお母さんも、津波君の親戚も来ることになっている。

それを聞いて津波君が、急に銛だけでなく、釣り具と餌、アイスボックスを持ち出してきた。どうやら今日は、最終日のための魚集めになりそうだ。

津波君の海底のサンゴ礁を見る目が、いつもの目と違っていた、獲物を狩る猛獣の目だ。

急に飛び込んだ津波君の最初の獲物はイラブッチャー（ブダイ）だ。

津波君はすぐに舟内に持ち込んで、内臓をきれいに取ってよく洗いながら、

「大丈夫なんだけど、時々、中毒する人がいるらしいんだ」

そう言ってアイスボックスに入れた。次は珍しいロウニンアジ。

「これも大きいのは危ないらしいんだ」

と言いながら内臓を取った。健さんはびっくりして、

「君達の舟が漂流しても大丈夫だ。海で暮らしていけるよ」

我々はちょっとドキッとして、やがてホッとうれしかった。

後は僕の釣り竿にハリセンボンがかかって、捨てようとしたら運天君が、

「ダメダメこれ味噌汁にするとうまいんだ」

と言って自分も、大量に釣りあげていた。以前にも皮をむいて食べたことがあるのを思い出した。まだ海の暮らしは本物でないと思った。

翌日は、今までのおさらいをした。櫂の使い方、帆の操作、何とかできそうだ。

後は一年かけて、自分たちの訓練次第だ。陽が落ちて、いよいよ最終日の夜の航海だ。基本的には星明かりや、月明かりがあって完全には暗黒の海ではなかったが、やはり周辺の景色が見えないという不安体験を、少しは柔らげた。特に周辺がまっ暗という事は自分一人、取り残された気持ちになる。暗い海の中から、突然白い手が何本も出て、海中に引っ張りこまれるかもしれない錯覚に惑わされてしまい、上手くもない元気づけの歌を歌った。

島唄よ　風に乗り　鳥とともに海を渡れ
島唄よ　風に乗り届けておくれ　私の愛を

海よ　宇宙よ神よ　いのちよ　このまま永遠に夕凪を……　〈THE　BOOM〉

〝島唄〟の一節を口ずさむと、驚いたことに皆の大合唱になって、櫂の動きがそれに合っていた。やはり夜の海は、皆、心の中で孤独で暗黒で、色々な辛い出来事と会話をしているのかもしれない。そこから逃れるように、島唄の声が暗い海に流れていた。

健さんにあんな暗い海で羅針盤も持たず星も月も出てない時、昔の人はどうして航海していたのか？　聞いてみた。健さんはよくわからないけど、昔の人は体の中に体内コンパスを持っていたかも？　鳩やミツバチが自分の家に帰る本能を持っているように、現代人は失ってしまったけど、持っていたかもな……と言った。最終日の夜の航海訓練が終わり、サバニや道具類を納屋に収めた。母や志織、運天君のお母さん、そして津波君の親戚の老夫婦達は、早く来てガーデンパーティーの用意をしてくれていた。母も運天君のお母さんも、山盛りのケンタッキーフライドチキンやおにぎりを持って来てくれた。津波君が捕った魚の刺身や、ハリセンボンの味噌汁も母達が作ってくれていた。最初に健さんが、一言、

「皆よくやった。さすが琉球海洋民族のDNAを持っています。いつでもこの島から航海

出来ます」

時々健さんの言葉にはドキッとさせられるけど、我々がニライカナイを目指している事などつゆ知らず、健さんはどこからか三線を持ち出してにぎやかな、あの有名な〝ハイサイ・オジサン〟を歌い踊りだした。

みんな立ち上がって、両手を上げて踊り、驚いたことに志織も踊っていた。カチャーシーだ、暗闇の中に海も空も風も人も、一つになって踊っていた。次にその三線を受け取って老夫人が静かにこの地方備瀬の恋歌民謡を歌いだした。自然が美しいところでは、みな芸術家になるんだと、だれか言っていたけど本当だ。歌は静かに沖縄の風に乗って、暗い海の方に流れていた。明日からはホテルでのアルバイトが始まる。少し不安はあるけどサバニで波を乗り越えたり、風をとらえた自信みたいなものが、早く航海に出たいという気持ちを盛り上げていた。帰りは健さんが、車に我々と運天君とお母さんを、少し定員オーバーだけど乗せてくれた。母達は健さんにお礼をしてくれた。最初は自分も楽しかったからと、中々、受け取らなかったけど、この子が、東京に行くと言っているので、またお世話になるかもしれないから、と言う運天君のお母さんの一言で、お礼を受け取った。

運天君がお兄さんやお父さんと会いたがっているのは、前から知っているようだ。

今月からホテルのアルバイトだ。運天君と待ち合わせてバスに乗った。初めて沖縄のバスに乗った時、腕がまるで小犬のような毛の人を見たことを話した。

運天君は笑いながら、

「そんなのどうってことないよ。シャツの胸元からバッキンガムの近衛兵の帽子をのぞかせているような人もいるよ」

ホテルに着いて主任の新垣さんに挨拶をした。真っ黒になった僕たちの顔を見て、驚いていて、

「まるで外人みたいだな。英語で話しかけられるから、よく英語を勉強しておくように」

冗談に決まっているけど、生きていたら正子さんに、真っ先に見てもらいたかった。

久しぶりに、忘れていた胸のズキュンが来た。受け持ちの部屋は、以前の作業の手順通り、そんなに戸惑う事もなく、一日が終わった。何事もなく日が過ぎていった、時々、帰り道で津波君の家での、打ち合わせもした。

運天君が深刻そうな顔をして、

「実は山羊なんだけど、仔山羊を持っている時しか、乳が出ないらしんだ。だから乳が出

るように、今から調整をしなければならないんだ。まだ詳しく調べていないんだけど絶対にするから」

なるほど、山羊の乳は我々の栄養補給のプログラムに入っている。全員で調べることになった。アルバイトも慣れてきた。ある日の午後、事件が起きた。

夏休みを、海のリゾートで過ごす都会の人は多い。特に美しい海辺のホテルの人気は高まってきて、ハワイのワイキキの観光客数を超えようとしている、との事だった。

特にお洒落な観光客が増えてきて、僕たちの働くホテルにも、お洒落で派手な若者が多かった。運天君と僕が、それぞれの部屋の清掃で回っていた時突然後ろから声をかけられた。

「おい運天、お前ら何してるんだ？」

声の主は、ジャイアン一家の子分スネ夫だった。本名は屋部浩二、家は地元の会社社長の息子で、ジャイアン一家の金庫といわれているくらい、裕福な奴だった。ソフトアイスを食べながら我々に近づいてきた。

「お前ら、何やってんだ、こんなとこで」

運天君がうんざりとした表情で、

「アルバイト」

「ホーッ、お前ら親がいないから、貧乏してるんだな〜。かわいそうに」

運天君は爆発寸前、僕も爆発しそうだったけど、グッとこらえて運天君を引き留めた。

スネ夫はかじっていたソフトアイスをわざと廊下にたらし、

「いかん、いかん、きれいに拭いてくれや」

運天君がつかみかかろうとした瞬間、前のドアが開いて女性客が飛びだしてきた。我々と同じ年くらいの美しい子だった。白いショートパンツ、白いタンクトップ、まるで白雪姫だ。

「どうしたの？　浩二、どこも探したけど見つからないんだけど」

「まぁいいじゃん。ちょっと、こいつらに廊下拭かせようとしてたんだけど、怒っているみたいで……」

「生意気だね、この子ら」

表情が、だんだん変わってきて、運天君の作業ワゴンの端にぶら下げられた白い帽子を見た途端、白雪姫からシンデレラのお姉さんになって、

「そのキャップどこで盗んだの？」

運天君は怒り心頭、

「盗んだんじゃない！　廊下に落ちていたのを預かっているんだ。フロントに届けようとしてたんだ」

「廊下になんか落としてなんかない。部屋に置いといたの」

シンデレラの意地悪姉さんの大きな声が廊下中に響き渡った。

「僕たちはそんな事してない」

僕もつい、大きな声を出してしまった。

スネ夫が、

「こいつら、同級なんだけど、いつも暗くて怪しいんだな。オイ、お前らよくも俺の従妹のキャップ盗んだな」

自尊心を傷つけられたものは復讐する義務がある。昔、なんかで読んだ本に書かれていた。お気に入りのセリフを唱えて、つかみかかろうとした瞬間、近くのドアが開いて、

「さっき廊下に落ちていたのを、この子たちに渡したのは私よ。静かにして」

部屋の中で聞いていたらしい、眠そうなおばさんの声がして、すぐにドアが閉まった。

真相を証明してくれたおばさんがいたのだ。スネ夫と従妹は、真っ赤になって廊下を走りだした。

運天君と僕は大喜び、ここに津波君がいたら多分〝有頂天外〟だなと、例の四文字熟語が出るところだな、と思った。時間を守り、その日のノルマを真面目にこなしていく毎日が過ぎた。

父が沖縄にやって来る日が近づいてきた。津波君からも連絡があって今週の半ばに休みが取れそうだという事で、我々も午後は早く作業を切り上げることにして、会うことにした。久しぶりの津波君は、真黒く日焼けして、ひときわたくましい海人になっていた。

三人で久しぶりに、サバニを海に出した。櫂の動き、波の乗り方、依然と比べ、大分慣れてきたようだ。一応、サバニ訓練の復習をして、色々な問題点の打ち合わせをした。

運天君は山羊の搾乳時期の調整が、初めてなので、難しいと言っていた。どうも山羊は妊娠期間の三カ月くらい、乳を出すらしい事を、運天君は突き止めていた。しかしもしかしたら、役立たずの動物を連れて行く事になるかもしれない〝うしろめたさ〟のために必死に相手の雄山羊をさがしていた。

津波君は出帆の時までの備品や食糧の保管場所を探さなければと言った。親戚の人が頻繁に来るので、見つからない場所探しに頭を痛めていた。

これから一年間の準備計画の問題点を話し合った。津波君は帆走のために、海上保安庁の海流図や過去の気象図が欲しいなと言った。父が夏の休暇でここに来るので、羽田の海上保安庁のショップに行って、購入してくれるように、たのんでみることにした。運天君が、「何故、そんなもの必要なんだ？　と疑われないか？」

「大丈夫、沖縄の海が宿題の研究テーマ、親は宿題という言葉に弱いから、大丈夫だよ」

舟の荷物が多くなりそうなので、以前、安定が良かったサバニを二艘くっつける双胴船にすることに決めた。夏休みが終わっても、来年まで、時間の許す範囲で、操船訓練が必要だという事で一致した。津波君は、長時間は魚の餌を持って行けないので、ルアーや疑似餌を研究しておくと言っていた。家に帰ると、志織が海洋少年少女団水泳大会で三位になったと、大はしゃぎ。喘息で苦しんでいた、あの東京での生活は何だったんだろう。人は自然のままの環境の中で、自然のままに生きていく、これが健康を取り戻すという人間のすごい回復力を、思いきり知らされた。古代の海洋民族は、自由で健康な体と志を持ち、助け合って島々をめぐっていたに違いない。そしてニライカナイという安らぎの地が、どこかにあると信じて航海していたに違いない。

その後、何ごともなくアルバイトの日々は過ぎていき、父がやって来た。

たのんでいた水路協会の沖縄の海流図、去年の気象図等、持って来てくれた。

「海上保安庁は沖縄にもあるのに、なぜこんなもの必要なんだ？」

「沖縄では時間がかかり、軍の関係かな？　コピー取れないんだよ。ここは……今や情報隔離された僻地、人間本来の生活に万歳！　大自然生活に万歳！　なんだよ」

嘘っぽいこの言葉に父はゲームに夢中だった頃の僕からは想像もできず、ウソ八百の僕に信じられない顔をしていた。今の僕の生活はテレビ画面とは縁遠い、現実だけの画面を信じる生活だった。

そして真っ黒に日焼けした志織が大喜びで海洋少年少女団の衣装を着て見せたり、水泳大会の表彰状を見せたりしているのを、口を大きく開けてただ見つめていた。しかし、父が一番喜んだのは、志織が喘息の発作を、一度も起こしていないという事実だった。

夕食は母が、沖縄料理をたくさん作った。刺身は津波君の親戚に前から頼んでいた新鮮な魚だった。どこから手に入れたのか、シャコガイもあった。地球温暖化の防止になる二酸化炭素を酸素に変える微細藻と共生しているサンゴと同じように、シャコガイにも、その微細藻は共生している。最近は地球環境問題でシャコガイも保護が叫ばれていて、ちょっと気にしながら、コリコリした硬い貝を食べてみた。海の匂いがまだ残っていた。

「お父さん、アンボイナは猛毒があるけど、これは大丈夫だから」

父は少し慌てて、

「もう、聞いたのか、参ったな」

久しぶりの家族全員の夕食は楽しかった。ニライカナイは本当にあるんだろうか？

何故こんな幸せな家族と別れて、僕は旅立つのだろう？

多分、海だ、あの心をえぐるようなコバルトブルーの海の先に、何があるのか？　じっと見つめていると、いつも水平線と交じりあっている、その先の空に昇っていく幻想にとらわれる。

そこにはそれぞれの希望やら夢がある、僕たちはそれを自分たちの力で捕まえるんだ。

黄金や胡椒を求めて一角千金を求めて航海に出た人々も、心の片隅に、まだ見ぬ何かを見たくて旅に出たんだろう。それが冒険なんだ、僕たちを駆り立てるものだ。

夜遅くまで、父と話した。友達、舟、島、星、海、これら皆、東京と違うこと等を話した。

父は自分も、あと一～二年くらいでこちらに移ってきたいと言った。

多分、都会に疲れているんだろう。珍しくしんみりと、黙ってビールを飲んでいた。

しかし、突然、

「男は黙ってオリオンビール」

なんて大声を出して、ズボンを脱ぎ捨てステテコ姿になって、いつもの本当の父を取り戻していた。

外は激しい雨になっていた。明日は強烈な太陽とこの雨で、ハイビスカスの花の色が強烈な赤になっているなと、思いながら眠りについた。

明日は、又、アルバイト。そして終わってから津波君のところに行くことになっている。

出来るだけ、運天君と津波君には父と家族の話題はよそうと思った。

アルバイトが終わり、運天君と津波君の家に急いだ。

そろそろ、装備や備品のリストアップを、しなければならないと思っていたからだ。

津波君が、沢山取れたグルクン等を干物にするのはどうだろうか？　と提案した。

しかし塩をきかせた干物は、のどが渇くので水の消費を考えるとどうかな？　とか、燻製は？　とかいろいろ考えて、酢漬けが良いかもという事になった。

結論は、それらは直前に作った方が良いという事になり、長期非常食には、缶詰を携行することにした。とにかく来年までの準備とサバニ訓練は怠らないように、慎重に挙行する事になった。人の目を欺き、密かに進めるこの行動は、まるで忠臣蔵の討ち入り前の周到な準備だと思った。昔、亡くなった祖母が大晦日によく見ていたテレビ番組に付き合わされていたので、よく覚えているが、津波君にも、運天君にもあまり伝わらなかったようだ。

夏休みも終わりに近づき、父も沖縄を楽しんで東京に戻った。ホテルのアルバイトも無事に終わり、資金集めも完了した。二学期の初日は、皆、日焼けでたくましくなっていた。ジャイアンもスネ夫も健在だ。しかし、スネ夫は僕たちに顔を合わせようとしなかった。

暑く真上から照り付ける太陽が、少し傾いて沖縄の秋らしい日になってきた。

毎日、学校が終わり次第、津波君の家に集まり、サバニの訓練を重ねていた。

夏休みが終わった最初の日曜日。終日、海に出て少し遠出することになった。

我々は西側に突き出した、岩礁の裏側をまだ見たことがなく、少し沖に出て裏側がどのようになっているのか確かめることにした。岩礁のそびえ立った裏側には、サンゴ礁が入り組んでいた。そして、よく見るとそびえ立っていた崖の下には海水に浸食された、大きな洞窟の入口が隠されていた。

「あの崖の上は、男子は立ち入り禁止の斎場の森なんだ」

津波君もその崖の森に入ったことがなかったようだ。

「あの洞窟は海に出ないと行けない。それにサンゴの岩礁と波に隠れて近くに寄らないとよく見えない」

運天君が言ったとき、三人は同時に、「保管庫」と叫んだ。それも海からでないと、行けない安全な自然の保管庫だ。

我々は、洞窟に上陸した。洞窟の中はうす暗く、入口に比べ広く、天井が高く快適な居住空間になっていた。まず津波君が、流木や枯れ木、生木も集めるように言って、煙が出ないように慎重に、洞窟内を燻蒸した。

「アカマタかハブがいるとまずいからな」

内部は生き物の気配はなかった。

「ここはいいな！　合宿が出来るな」

運天君がもう秋の星観察の場所に決めていた。

全員、上機嫌でいつもの浜に戻り、舟の安定のためのアウトリガー（舷外浮材）の取り外しをした。

我々は気付かなかったけど、その作業をじっと物陰から見ていた者がいた。ジャイアンとそのグループだった。

「なんか怪しいと思ってたけど、あいつらこんな事してやがったんだ」

ジャイアンが憎々しげに舌打ちをした。

「奴らのあの舟、頂こう」

スネ夫がジャイアンに催促したらしい。

我々は、そんな事とは知らずに本体のサバニを納屋に戻す前に、津波君の家で冷えたコーラを飲んでいた。

そのとき、突然、浜の方から大きな音と、人の叫び声が聞こえた。

急いで浜に下りていくと、ジャイアンといつもの仲間達が、一斉に走りだしていた。

サンゴ礁の浅瀬にはサバニが横転し、人が波間に漂っていた。

うつぶせで漂っていたのはスネ夫のようだ。安定の悪いサバニに乗ろうとして、サンゴ礁に放りだされ、頭を打って気を失っていた。出血もしているらしい。

津波君がすぐに飛び出し、スネ夫を浜に引き上げた。海が赤くなっていた。

「気をつけろ、サメが寄ってくるぞ」

そう言って傷口を確かめた。

「家の電話で救急車呼んでくれ、119だ」

津波君は、取り乱していた僕たちに、適格に指示を出した。浜に出ていた人や通りがかった人達が、何人か集まって来た。何があったのか、よく分からなかったようだ。

そのうち救急車やパトカーが来て、気を失っていたスネ夫を、急いで病院に運んで行った。

警官が僕たちに、事情聴くから警察に来るようにとパトカーに乗せられた。

「僕たちじゃないんです、状況は分かりません」

「他にそんな仲間はいないぞ」

いくら説明しても、まるで僕たちを犯人扱いだ。

「彼の仲間は逃げていきました」

三人で必死で言っても聞いてもらえなかった。

パトカーが発車する寸前だった。誰かがパトカーめがけて走ってきた。あのサトウキビ畑のオジィだった。

「違う、違う、わしは一部始終、車の中から見ておった。車が止められんかったから、来るのが遅くなったが、他の仲間三人逃げて行きおったのを見たぞ」

警官はオジィの顔を見て、急に敬礼をすると、

「君たちは仲間を見ましたか」

さすがオジィは元村長さん、警官の言葉遣いが変わった。津波君が他の仲間の名前や、

彼らが舟を勝手に乗ろうとした事、などを話した。警官はメモをとってすぐにサイレンを鳴らし立ち去った。オジィは我々に収穫したサツマイモをくれるために来てくれたんだ。

「この間のキジムナー様のガジュマルが、無事残ったから、遅くなったけどお礼に来たんだ」

そう言って、サツマイモの入った段ボール箱を差し出した。

「有難うございます」

オジィが見てくれていてよかった。全員がそう思った。オジィは、

「これは君たちがガジュマルを守ってくれた、キジムナー様のおかげかな」

頂いたこの芋は航海のための貴重な食糧になるな、そうだ！〝干しいも〟を作ろう。みんなそう思った。

スネ夫は病院で意識を取り戻したらしい。翌日の学校では、逃げたジャイアン達に非難が集中した。ジャイアン達は、逃げてはいない、人を呼びに行こうとしていたんだ、さかんに言い訳をしていた。ジャイアンが携帯を持っている事は、クラス中の全員が知っていた。

何故、救急車をすぐに呼ばなかったのか？　何故スネ夫を置き去りにしたのか？

警察での説明もしどろもどろだったらしい。ジャイアンの威信は、完全に落ちてしまった。

しかし、「彼も突然のことで気が動転していたんだ」運天君がみんなに説明していた。

彼のやさしさが、僕の体中に沁みてきた。


沖縄にも秋が来た。

今まで、体験したこともない台風も来た。土とセメントに塗り固められた家々は、よく風に立ち向かっていた。昔からの古い家屋も、屋根はセメントで固められて、よく風に耐えていた。波頭は白く渦巻いて、今まで見たこともない海の様相だ。

真面目に、美しく装っていた人が、急に別人になって、怖いほどの荒れ狂いようだった。

津波君が、

「こうして、海の底にたまった物をかき回し、きれいにしてくれるんだ。熱くなった海の水も、中和させて冷やしてくれるんだよ、サンゴたちもきっと喜んでいるよ」

台風のこんな役割を聞いたのは初めてだった。家では、母がいつロードサイクリングを買うんだと、うるさく聞いた。

「サイクリングなんか買いませんよ。中々、気に入った色のがないから、待っているとこ」

素直な母はすぐに納得してしまった。

沖縄では、あまり季節の移り変わりを感じないんだと思っていたら運天君が教えてくれた。森の色も、街路樹もそんなに季節で変化はないようだけど、海や空の鳥や人が、季節を教えてくれていると言った。東南アジアに帰るサシバの群れ、旅の途中のアジサシ達、そして夏を楽しんだ観光客がそれぞれの生活に戻っていく沖縄の季節…が移っていく。

津波君もボッリと言った。

「海の中も秋だ、タイワンダイも来てる、タチウオもでかいぞ、人の身長ほどもあるアオリイカもでかくなって来てるぞ」

僕たちの学校生活にはそんなに変化はなく、しいて言えばスネ夫の頭の包帯が取れたことぐらいかもしれなかった。沖縄にも夏の終わりから秋にかけエイサーや綱引き等、祭りが多い。しかし、我々はサバニの訓練と、アルバイトで稼いだ資金で、装備の購入に忙しかった。

救命具や、完全防水の保管箱などの購入である。救命胴衣などは津波君の家の納屋に沢山あったが、用具のための浮き輪や完全防水された保管箱を探さなければならなかった。

三人で漁港を回り、廃船になったり使われていない古い船を探して、取り付けてあるブイや浮き球購入の交渉をした。ほとんどの持ち主は無料でくれて、何に使うんだ？と聞かれることが多かった。

「浮き球も、ブイも色を塗って作品にします」

「君たちは、美術部か？」

「はい、秋の文化祭の作品です」

いい加減な嘘で胸が少し傷んだが、防水ペイントが剥げたブイをカラフルに塗り直し、ちょっとした芸術品にしたのは本当だ。そんな作業は、湾の裏側にある、秘密の洞窟ですることにした。防水の箱はキャンプ用のクーラーボックスを改造することにした。

食糧の事、スリーピングバックやら雨具、調理器具、そして運天君の山羊の乳を出させるために、効果があるかは不明だけど近所から雄山羊を借りてきて雌の本能を駆り立てたり、そんな準備に〝あっ〟という間に時が過ぎて行った。周辺に余計な心配をかけさせたくないので、試験の前日だけ、三人で密かに勉強をした。それも密かに出来るだけ目立たないようにした。


街路には幹が、徳利のような形をした、トックリキワタの花が咲き、ニッコウキスゲに似た、クヮンソウの花を満載にした軽トラが、忙しそうに走っていた。

クヮンソウは、花だけでなく、茎やつぼみ、根などを、てんぷらやお浸しにして食べ、最近では美容にいいとかで、女性に大人気らしい。秋が沖縄の隅々にやってきて、アッという間に過ぎて行った。最近では、母はロードバイクをいつ買うのか？　の質問もしなくなった。

志織は、水泳に熱中しているせいか、背丈も伸び、たくましい体になってきたように見える。それに引き換え、我々三人の夏の日焼けは薄らぎ、いつもコソコソと町の古道具屋や市場の裏に捨てられている段ボール箱や、プラスチックの桶を収集していた時、津波君が突然、

「ジージキ（地漬）を作ろう」

と言い出した。僕は、何なのか知らなかったけど、運天君は、

「それはいいな、保存食に最適だ」

どうやら塩漬けにした、ニンニクやゴーヤ等の野菜を黒砂糖で漬けた漬物らしい。

「作り方を知っているのは、あの砂糖きび畑のオバァでしょう」

早速、オバァの家に行って、聞くことにした。オバァは突然の訪問に驚いていたけど、

「何でまた？」

少々、驚いていたけど、丁寧に教えてくれた。津波君が、

「海人のオジィが、おにぎりとよく食べていたのを、思い出して……」

と言うと、それなら家に行って作ってあげると言ってきかず、断るのに苦労をした。

作り方は全員でオバァに聞いたが、かなり難しいのでやっぱり一度、オバァにお願いして試作することにした。簡単に言うと、気温の高いところなので、発酵が早まるのを塩を多めにして下漬けをするらしい。材料は大根、ゴーヤ、シマラッキョウ、ニンニク等で、最後に黒砂糖で漬けるらしい。塩辛さを黒砂糖でやわらげ、しかもこの暑さでも、一年は持つので保存食にいいらしい。やはり昔から食されている漬物は、保存食という観点から、地元の環境や食材をよく考えて作られているんだと、感心させられた。しかしこれは少し塩からいかも？　な。三人は完全保存食として少し作ることにした。

オジィの物置には、昔、漬物を作っていたプラスチックの樽がいくつもあり、漬物を漬けるためと、雨水をためるためにもらうことにした。ジージキの漬物は3月頃に漬けることにした。沖縄の空にも赤トンボが飛んでいた。沖縄にはアキアカネはいないはずなのに、不思議だなと思っていたら、運天君が言うには、

「あれはほぼ一年中飛んでいるよ」

よく見ると東京で見ていたアキアカネではなかった。帰って図鑑を見てみるとタイリク

ショウジョウトンボだという事が分かった。

赤トンボを見ると秋だと思ってしまうのは、まだ、まだ、沖縄の自然について、知らないことばかり、物知りだと自負していた東京時代は、何だったんだろう。漬物だって長い年月をかけて、この暑い環境に適合してきたんだ。僕は沖縄に来てまだ一年未満、まだまだ新米、そう思いながら自分を慰めていた。学校の方は、運動会や文化祭があり僕ら三人だけのヒソヒソ、コソコソだけでは乗り切れなかった。みんなとの綱引きも買い物競争もこなしたし、文化祭にはサバニの伝統漁というテーマで三人共作のパネルを作った。津波君が構成、運天君が文、僕が絵を描いた。中々の出来栄えで好評だった。

秋も終わり、暦では完全な冬がやって来た頃は、僕たちはサバニの帆の操作や櫂の使い方に、すっかり馴れて大体の方角にサバニを操れるようになってきた。冬の荒れた海も、何度か体験した。津波君が急に、

「暮れになると、大阪の両親が帰ってくるから、納屋に置いてある物やサバニを現状に戻しておかないと……」

と言い出した。

集めたものは洞窟に隠し、納屋のサバニにはシートをかぶせて、何事もなかったように

した。僕の父は、年末、年始のギリギリまで、生番組のコマーシャルの仕事があり、帰れなかった。津波君の家の舟の倉庫内の現状復帰の為やら、備品チェックやら、年末は多忙で、沖縄で初めての正月を慌ただしく迎えることになった。僕の家では母は二段重ねの重箱におせち料理を作った。一段目にはタヅクリやキントン、数の子等、東京での普通のおせち、二段目には紅白かまぼこや皮つきの豚の三枚肉、ゴボウや昆布の煮物、あげ豆腐、ムラサキ芋のキントンまで用意された沖縄のおせち料理になっていた。母は久しぶりにつくった郷土料理を自慢げに見せて、早く食べるようにと、嬉しそうに勧めた。ケンタッキーフライドチキンも少し入っていた。母の料理を見ていたら、今年の夏の船出の思いに、少し胸が痛んだ。正月も終わり、また津波君の家に集まった。津波君は両親に代わってオジィの法事を終えた。夏休みが終わったら大阪に行くと親戚にも両親にも約束したらしい。

運天君はオジサンが正月、家に来たらしいけど、まだお父さんやお兄さんとの連絡は取れていないらしい。学校では、ジャイアンがあのサバニ転覆事件以来、すっかりおとなしくなり、スネ夫は、時折、猫なで声で我々にすり寄ってきた。

そして、早春の空には、又、オオゴマダラが舞い戻り、我々は二年生になった。

今年はカンヒザクラの満開も見たし、回遊の回数が少なかったが、又、クジラがサンゴ礁の沖を悠々と通り過ぎるのが見えた。あのクジラたちはニライカナイの国を知っているのだろうか？　那覇から近い島の古い民話によると、クジラは昔、牛だったらしい、いつもあまりに畑で働かされるので、いやになった牛は海に逃れ、竜宮城に逃げ込んだが、竜宮城でも、又、働かされるので逃げだした。そこで怒った、竜宮城の神様がシャチを追っ手に差し向けた。牛は逃げている間に毛が落ちて、クジラになって、今でもクジラはシャチに追われることになったという事だ。確かにシャチのことを英語ではKiller Whale（クジラ殺し）というらしい、古い民話だけど、クジラの天敵がシャチだという事を、昔の人は何故知っていたんだろう、この話は創作だと思うけれど、シャチをよく観察していたんだ。海という途方もない別世界に興味を持ち生きてきた人々、なぜか初めて沖縄に来て強烈に海に興味を持ち魅かれていく僕に少し似ているかもしれないと思った。

沖縄の早目の梅雨がやってきて、夏休みが近づいてきた。我々は水の購入、食糧の調達、海上生活に必要な備品の点検、と多忙を極めた。夏休みに入る前日、津波君が教室で担任にみんなの前に呼び出された。二学期から大阪の学校に転校する発表のためだ。皆にお別れの挨拶をするように言われた津波君の一言は、

「僕は美ら海が好きだから、どこにも行きませんから……」

担任が、

「大阪に行っても、彼の心の中にはいつも、沖縄の美しい海を忘れないという事なんだ」

と取りつくろった。絶対に大阪に行かないという津波君の覚悟を、担任は見抜けなかった。

いつものヒソヒソ相談会は楽しかった。

水、食糧、鍋窯の備品、救命用具、釣具、それとなんと言っても運天君がヒーちゃんと名付けた山羊も妊娠しないと乳が出ないらしい。運天君が苦労して調べたら、妊娠から出産後の三カ月は乳を出すことがわかった。ヒーちゃんが産むはずの仔山羊の引き取り手も苦労することなく見つかったとか……。僕は安心した。知らないことが多く、細かな計画の準備は大変だった。

一番は積み荷だった。予想外に多く大変だったけれど重要な水と食糧は綿密に計算して整理した。海上保安庁の航海用海図や速度計などは持って行かないことにした、当然だけれど、地図にはニライカナイの位置は記載されていないので、コンパスを頼りに目視で本島の北の岬まで進み、その地点から、ただひたすら東へ東へ進むことにした。

出帆は7月の夏祭りの夜、陸から海に吹く風に乗ることに決めた。

出航の前日、何故か〝銀河鉄道９９９〟の歌を思い出した。

（特に最後のフレーズ）

別れも　愛のひとつだと　〈ゴダイゴ〉

母の手作りのハンバーグを食べながら、この最後のフレーズに胸が痛んでいた。

何も知らずに食欲旺盛な志織は二つ目のハンバーグに挑戦していた。

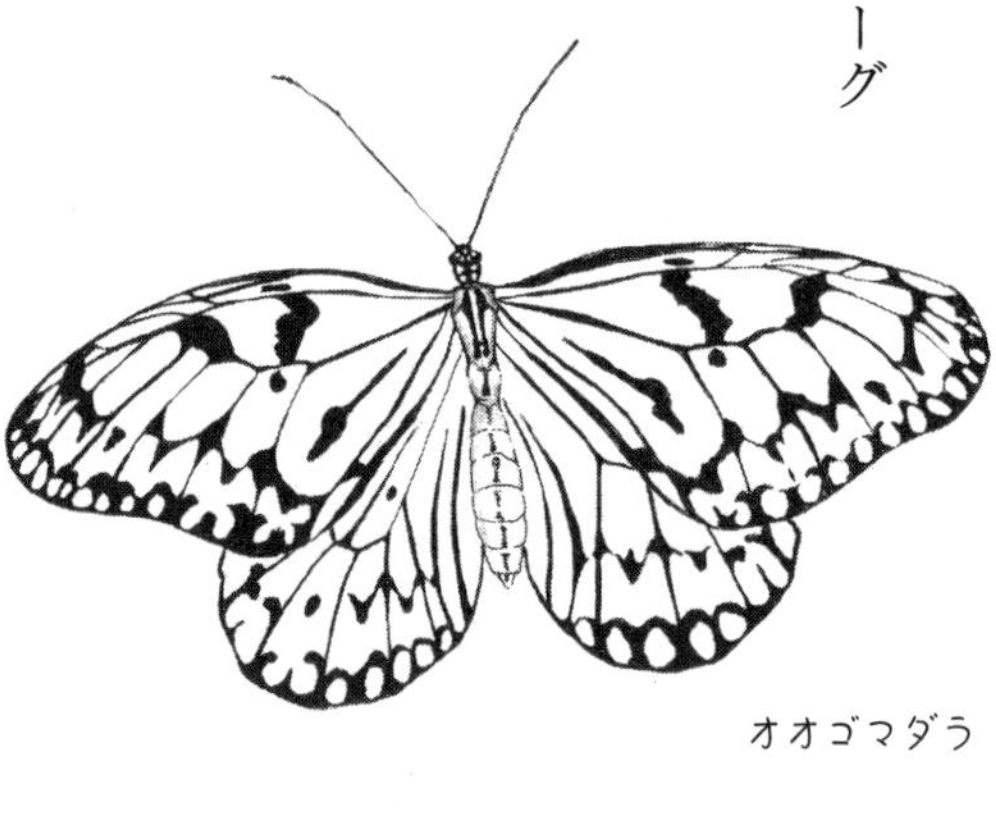

オオゴマダラ

6 船出

海亀や　母の匂いの　浜を這う

別れの日は　鳳梨（パイナップル）一切れ残し　蝉時雨

蝉麻呂

母に明日、みんなと夏祭りに行くことを告げた。志織は海洋団のチームでイベントに出るらしい。悲しいことも過ぎ去り、何事もなかったような平穏な日々を取り戻した時、僕の体内にはその燃えカスが悪質なガン細胞のように残ってしまい、冒険の海が、執拗に僕を急き立てた。夏祭りの雑踏を避けて、前日に隠しておいたサバニを引き出し、静かに沖を目指して帆を上げた。陸から吹く風が、沖に出る僕たちを打ち上げ花火が、ドンドン遠ざけ、騒音も夜の海に消していった。

「出来るだけ北に行こう」

津波君がコンパスを見て言った。

帆と櫂を併用して沖を目指した。もう帰れないと思うと、いろいろあったすべての事が懐かしく、走馬燈のように現れては消え消えては現れる、複雑な気持ちだった。

しかし不思議なことに悲しい気持ちや不安はなかった。それよりも未知の国に旅立つ冒険への興奮で胸がいっぱいになり、櫂を漕ぐ手に力が入った。

津波君が、

「太郎君も運天君も頑張りすぎだよ、これじゃ毎日漕げないぞ」

とブレーキをかけた。遠くに夏祭りのフィナーレの花火が勢いよく上がっていた。

遠ざかる街の灯が、僕たちの過去と未来を、かろうじてつなぎとめていた。

まだ町の灯が見える、櫂を漕ぐ力が心なしか遅くなり、心の迷いがあるのかもしれない。

しかし、そんな迷いは暗黒の中でうねり始めた波が、たかまる緊張と共に消し去って行った。

沖に吹く風は、意外に早く楽に舟を走らせた。

サンゴ礁を離れ、沖に出てしまうと波のうねりが激しくなって、波の谷間に入ると遠くに見えていた町の灯が波の壁に消えてしまい、時折、暗黒の海の中に閉じ込められてしまった。

まるで裏小路に迷い込んだ夜のミッキーマウスだ。

約二時間くらい沖からの風に押されて西に進路をとった。

「まだまだこの先は長い、しばらく休もう」

と津波君が言う。櫂を舟上にあげ、波のままに漂流していると、町の灯が海に消え、また現れる、舟は上下に波にもてあそばれ、波を滑り落ちる感じは、えい！　どうにでも勝手しなさいと、開き直るディズニーのスペースマウンテンの快感に似ていた。

三人は交代でまどろんだ、星空を見ながら毛布にくるまってゆられていると、まどろみが熟睡に変わり、三人とも、五〜六時間眠ってしまった。

東の空がムラサキ色になり始め、島の方から陽が昇る気配があった。ヤンバルの森も、僕たちも朝日の紫に染まり始めた。この航海のメモを書いておかないとと思った。

津波君は海水で歯を磨き顔を洗っていた。運天君は昨夜買っておいたコンビニおにぎりとインスタント味噌汁を出した。僕はコンロでお湯を沸かし、朝の分業はうまくいっている。

昨夜のおむすびは硬くなっていたけど、温かい味噌汁が十分に、その硬さを和らげてくれていた。西に進路を取って沖を目指していたが、今度は北に進み、本島と並行に進むようにした。津波君は、アラーム付きの腕時計を外し、

「こんなもん鳴っても寝る時は寝る、役にたたたん」

そう言って、海に捨ててしまった。昨夜、交代で起きていようと、言っていたのに誰も起きることが出来なかったからだ。航海メモの始まりは、〝7月27日花火の出帆〟翌日の朝は、〝ウォーターワールドの海の旅人に一歩近づいた〟と書くことにした。ウォーターワールドというのは、全員が興味を持っていた昔の映画で水かきの付いた手を持ったミュ

ータントはいるのかとか、鰓呼吸の人間なんかいたのか？　とか他愛のない空想話も、海の上ではすごくリアルだったし、もしかしたら、運天君のお尻にも鰭がついているんじゃないかとか、そんな映画の話題を話している時だった。

大きな黒いものがはねた。津波君は「イルカだ」と叫んで銛と水中メガネを持って、海面をじっと見ていた。そして腰にロープを巻いて、

「これは命綱だから、しっかり持って、流されたら引っぱって」

これは大事な役目なんだ、ミュータントどころではなかった。二人は緊張した。津波君がいきなり飛びこんで、上がって来た時には大きなアカジンを抱えていた。

「イルカかサメが狩りをしたおこぼれだよ。船出にアカジンとはめでたいな。昔はこの辺では、人がイルカ漁をしていたから海水が赤く染まった、と、オジィがよく言っていたけど、今は僕たちの友達だ」

イルカに追われて急浮上したためかアカジンは少し弱っていたらしい、すぐに解体して今日は刺身、そして残りを〝漬け〟それから干物、海人の津波君が段々と本物のミュータントに見えてきた。

幸先のいい獲物の獲得に、僕の心が弾んだ。二人に久しぶりのウンチク披露が始まった。

〝いるかいるか　いないかいるか　いないいないいるか　いつならいるか　よるなら
いるか　またきてみるか〟

正子さんが言いだしたことなんだけど、小学校の時、はやった谷川俊太郎の言葉遊びで、さてこの中に何頭のイルカがいるでしょう？　という他愛のない言葉遊びのクイズだった。久しぶりの正子さんの思い出なのに、特別な感傷的な気持ちはなかった。

「はい、この中にはイルカは一頭もいません」

運天君はこの言葉遊びを知っていたのだ。

「まいったな！」

三人は大爆笑。

アカジンは津波君が手際よく刺身にし、残りを干物にするために天日干しにした。

晴れ渡った海の右手には、いつか運天君と行った、ヤンバルの森が見えて、空にはまだ季節の早いアサギマダラが海を渡っていた。

風は順調に舟を北へ進めてくれた。本舟の横に取り付けているアウトリガーには運天君の山羊ヒーチャンがいた。最初は暴れていたけど、積み込んだ干し草と配合飼料を混ぜたものを食べさせると、あきらめたらしく、おとなしくなっていた。

櫂で方向を調整しながらの楽な航海で、レトルトのご飯と、新鮮なアカジンがなんと言っても最高！　航海メモの今日のハイライト記録はこれだ。

時折、遠くに釣り船らしきものが見えていたが、波の中に紛れ込んだ小さなサバニ舟には気づかないらしい。遠方には塔頭の島が見え隠れしていた。

「明日の朝には、あの北の半島の端につくはずだ」

津波君が、右手に見えるヤンバルの森を、見ながら言った。

午後になると激しい夕立に見舞われた。全員慌てて鍋窯、バケツなどの容器に雨を貯め空に向けて、目一杯口を開き雨を貯めた。雨水が口から喉を通って腹の中、ゆっくりと落ちていくのが分かった。目指すものが、まだよく分からないけど舟は風に乗って走っている。きっとあの先に何かある。ドキドキする胸の鼓動だけが先走りして、時は過ぎてゆく。

半島の先端までは、かなり距離がある。風が弱くなったので、又、櫂で漕ぐことした。

津波君が夏川りみの〝海の彼方〟を歌い出した。僕は、方言があまりよく分からなかったけど、沖縄には海や風、自然の歌に満ちている。津波君と運天君は、静かに歌いだした。

最後の章の、

海ぬ彼方　我（わ）ん　想（うむ）い風（かじ）に
風（かじ）に乗（ぬ）してぃ空（すら）駆きてぃ行ちゅさ
島ぬ彼方　美童（みやらび）ぬ歌よ
歌よ響ち海渡てぃちゅうさ
海ぬ彼方　我（わ）ん想（うむ）い風（かじ）に
風（かじ）に乗（ぬ）してぃ空（すら）駆きてぃ行ちゅさ
離りてぃん想（うむ）い勝てぃ

方言のところがよく分からなかったけど、何故か今の情景の中で、この辺りの歌詞がピッタリと来た。沖縄の二人のDNAは、目の前の情緒をすぐに歌いだす、吟遊詩人のようだ。海と空と風、東京にいたときはあまり意識していなかった。古代より海や風や空が我々の生命の根幹になっているかもしれないと、ここに来て初めて、意識するようになっていた。

母の胎内にいたときの羊水の海、遠く祖先が地上で産み落とされた時に見た空、そして頬をなぜた風、初めて出会ったこの風景と体感が、今でも僕たちに刷り込まれ虜にしているんだと、今は勝手に思い込んでしまっている。二人の歌が波の音と一緒になりテレビのスピーカーで聞く音楽と全く違う物になって、体中を駆けて行った。

風が変わり、櫂で漕ぐ力でしか進まなくなっていた。喉も渇き唇も乾燥し始めてきた。一日の水の量は決められているので、出来るだけ我慢していたが、津波君がさっきの雨水を沸かして飲み水にしようと、言い出した。誰が言い出すか、期待していた一言だったので、全員一致で、決められた一日のペットボトル量を、今日は一本節約することに決めた。そして大事な大事な雨水を思い切り飲んだ。水が体の隅々まで浸み渡るのがわかった。

中々進まない手漕ぎの休みと、雨水の煮沸の準備のために、島に近づいて少し休むことにした。半島の切り立った崖の下にサンゴ礁が露出しているところがあり、その岩礁に隠れて繋留することにした。左手には毎日見ていた塔頭の島が、真近に見えていた。

サンゴ岩礁の透明度はすごくて、5〜6メートルの海底でも見えていた。時折、カラフルな熱帯魚がサンゴ礁の壁に群がっていた。

海人の血が騒ぐのだろう。津波君は水中メガネを着け、銛を持って飛び込んだ。この辺りは陸に近く、サンゴ礁に囲まれているのか海流はそんなに激しくないようだ。サンゴ礁の間を銛を抱えて泳ぐ津波君を上から見ていると、彼はやはりミュータントだった。

しばらくして津波君は獲物を持って上がってきた。

「この辺りはオジィと、時々来たことがあったんだ」

舟に上げた魚籠《びく》の中には、フエダイやハタの仲間の魚が入っていた。中でも運天君が目を輝かせたのは、大きなコブシメだった。

「コブシメ汁にしよう。身は刺身がいいな」

そう言って、すぐに料理に取りかかっていた。

運天君の自慢料理らしく、ゲソや鰭を入れて汁を手際よく作ってくれた。全員、歯をまっ黒にして汁をすすった。残りの身の部分は刺身にした。肉厚のコブシメの刺身は、東京で食べていた薄いイカの刺身とは歯触りが違い、ねっとりとした南国のイカらしい味がした。

「ここで最後の陸だ、ゆっくりと休んでおこう」

津波君がオジィと過ごしたこの海での思い出を、かみしめるように言った。

食事が終わると運天君は泳いで近くのサンゴ礁の隙間に生えている新鮮な草を刈って山羊に与えていた。鎌を咥えて抜き手を切る運天君も、やはりミュータントだった。

子供の時から、周囲を海に囲まれて生活していると、自然に海のミュータントになっていくのだろう。今頃志織や母はどうしているだろう。書置手紙もあえて残さなかったし、机の上も、あえて整頓しなかった。

ただ夏休みの宿題の一つ、読書感想文だけは残しておこうと決めていた。それも、中学生があまり読まないもので、あの武闘派の担任が絶対に知らないものにしようと、運天君が言い出した。

そこで其々考えた本は、僕は、毎日、海を見て思いついたゴールディングの『蠅の王』運天君はメーテルリンクの『蟻の生活』これはチルチルミチルの青い鳥で有名な著者の作品だけれど、同じ人なのに、全く違った別の顔の本だ。津波君は、色々迷った末に三島由紀夫の『天人五衰』を挙げた。これはオジィの愛読書で豊穣の海の第4巻のタイトルだ。

「あの先生は、こんなの読んでいるかな？　いきなりの質問されて、答えに困らせたいんだ」

なんかよくわからなかったけど、そう言った運天君の想像性の豊かな狙いはこうだ。

我々がいなくなって、当然テレビが騒ぐに決まっている。そこで学校の担任に、「三人はどういう生徒だったのですか？」とか「家出の原因に何か思い当ることは？　何か書置きでも？」記者の質問は、大体決まっている。担任には多分、手紙が残されているか？を聞く。

手紙はなかったようだが、宿題の感想文は残っていたのです。と、担任は答える。

記者は鋭く「どんな本の感想文ですか？」ここんとこ大事なんだけど、運天君は言葉の

調子を変えて、厳かに、

「すぐに答えられたら意味がないので、あいつが読みそうでない本で、文学少年でもない僕たち年代が読まない本を、あえて選ぶんだよ」

なるほど、運天君の狙いはよくわかった。

「そうか、出来たらその記者会見に立ち会ってみたいな」

津波君が言った。

さらに、

「〝天人五衰〟の海の情景はよく分かる。三島はとても海が好きだったんだな。海に出ていつもあの小説の景色に出くわしたぞ！」

と、オジィが言っていたことを話した。

読んでない僕たちにはよくわからなかったけど、三島由紀夫も、隠れ海のミュータントだったのかもしれない。今日のメモの一言は――（海のすきな人、皆、ミュータント、刺身やら奇妙な形のイカなど、喜んで食べる人も皆、ミュータントだ）

サンゴ礁の影でのんびりして、又、島を離れて沖に漕ぎ出した。風が少し追い風になって漕ぐのが少し楽になった。

「これから、本当に海に出るゾ！」
津波君が言うと、運天君が、又〝海の彼方〟を歌い出した。よほど気にいっているらしい。
海の彼方　我　想う　風に
風に乗って　空駆けていく
という、この辺りも方言になっていて、僕にはわかりづらいけど、沖に立ち上がってい
る入道雲に向かって漕ぎ出すと、気分はまさに、その世界に浸ってしまい、胸が熱くなる。
こんな気分は、どこかで味わったような気がしていた。多分、東京にいた時、正子さん
と一緒に観に行った映画「アバター」を二人だけで観に行った時の気持ちに似ているよう
に思った。時折、隣の正子さんの腕が、僕の腕に当たったりすると、勝手にドキドキして、
胸が熱くなったのを思い出した。しかし、正子さんはそんなことには気づかず、映像を観
るのでなくその世界の中にいる感覚で繰り広げる動きが、違和感なくデジタル３Ｄ技術で
作られていた画面のすばらしさに、興奮してその事ばかり夢中で話していた。そして、彼
女は名門女子中学に行ってしまった。
そういえば、あの映画の主人公達は神経接続が断たれてしまうけど新しい命を受けたと
ころに正子さんは異常に興奮していたな。最近思い出さない正子さんが急に恋しくなった。

人は誰も出会いがあって、恋があって、別れて、最後はまた結ばれたりの、昔の伝統的アメリカブロードウェー・ミュージカルのように僕達はいかないのだ。

それがかなわぬ人は、沖に立ち上がった入道雲に向かって、胸を熱くして、ひたすら突き進むしかないんだ。三人は皆、かなわぬ夢を持って、それぞれの海を旅している。津波君も一緒に歌い出した。僕も早く覚えなくちゃ。波の色が少し変わり始めたようだ。

まだ北の岬が見えかくれしていた。塔頭の島はもう見えなかった。早目の夕食の準備にかかった。今日は僕の当番だ、昼間、津波君が捕った小魚を魚籠から出し、それにアーサーやら、まだ痛んでないネギなんかを入れて、雑炊を作った。雑炊はすぐにお腹が減るので、餅をいっぱい入れて力雑炊にした。夕暮れの空には、金星が瞬いていた。

皆、うまいうまいと言ってくれて、運天君は暑い雑炊をフウフウ言って冷ましながら、

「金星は沖縄ではユーバン　マンジャー　と言うんだよ、ユーバンは夕食の事、マンジャーは〝欲しい〟という事なんだ、この星が出る頃は、どこの家も夕食が始まる頃で金星が空から、そのうまそうな夕食欲しいな〜、と、言うから付いた名前らしいんだ」

「星が人と話す。ロマンチックなんだね、沖縄は」

「ウン、人は昔から星に教えてもらいながら遠洋航海に出ていたから星も人も仲良しなんだな、きっと」

力雑炊はよほど美味しかったらしく、津波君などは四杯もお代わりした。

風は、追い風から少しずれているが、ジグザグに進み、櫂で方向を正しながら、西を目指した。もうすぐ陸地が見えなくなるはずだ。完全に現世と別れて、ニライカナイを目指すのだ。

いつも、夜になると運天君は、水平線や真上やら空の全ての星を見るのに忙しそうだった。

「本島でも4月や5月頃にハイムルブシ（南十字星）が見えるんだよ。しかしその頃は梅雨だったり、夜中だったりで中々見るチャンスがないんだ。こうして航海していると昔の海人は北極星だけを、目安に方向を定めていたと思われがちだけど、本当は時間と季節でどこの星がどこを指しているか、全ての季節の星が分かっていて、外洋を航海していたという事だ。この経験が何代にも受け継がれ、伝えられていたんだけど、今は何も残っていない、と、昔、ほしぞら公民館の館長が言っていた」

航海メモに一行、（星はなんでも知っているらしい）と付け加えた。

斜めからの風をうまくだましながら、西を目指していると、舟は急に東に走り出した。

それも相当早く、自転車が走っている感じだった。

津波君が、

「いいぞ！　東に流れる海流に乗れたな」

津波君は海流を事前に調べていたらしい。半島から離れてひたすら西を目指していたにも関わらず、北に少しカーブしていたらしい。半島はもう見えなかった。半島の沖を、西から東に流れる海流に乗れたらしい。

「ここからひたすら、東に進むゾ」

時折、磁石を見ながら方向を確かめ、交代で休むことにした。いつもは夜の海風はやさしかった。しかし、今日の舟は力強く風を切っていた。

運天君が教えてくれたことだけど、火星が地球に近づくと何か事件が起こるらしい。七年前は最接近、スペースシャトルコロンビア号が空中分解、この次の火星周期大接近の年も異変があるかな？　地震やら、洪水やら？　月の横に出ている赤い大きな火星を見ながら言っていた。今頃は多分、母も志織も見ているかもしれない火星、彼女たちは大丈夫かな、まさか、夜食のソーキソバを食べながら、心配しているだろうな？　西の空に急に現れた火星が空から、あの小さな舟はどこを目指しているんだろう？　去年の春、沖縄に来たばかりのあいつが、一体どこを目指しているんだろう？　そしてあいつの正子さんは天空にいるんだろうか？　そして何をしているんだろう？　そう言っているようだ。夜空を見ながら物語を作った古代ギリシャの羊飼いたちの気持ちが、何となくわかるような気がしてきた。

大きな火星の夜空や、ヤギ座流星群が飛んでいた空にも朝が来た。

島影もなく、周りには、ただ波だけの朝だった。

運天君が山羊の乳を搾ってくれた。成分が母乳に似て、人の体にいいという事で、三人で少しずつ分け合って飲んだ。

生暖かく、少しも匂いはなく濃厚な液体は、潮風まみれの体に沁みわたり、これで一日分の栄養補給には万全だと錯覚させた。

山羊の乳は聖書には、〝命の糧〟といわれるくらいで、とても大切にされていたらしい。錯覚ではなく本当に体にいいんだと確信しながら、カロリーメイトと茹でジャガイモも食べた。舟足は快調で、軽く自転車をこいで走るくらいの速さだった。

舵は櫂でとりながら、東を目指した。遠くの方で時折、ヘリコプターの音が聞こえることはあったが、近づいてくることはなかった。

津波君が何かを見つけたらしく、急いで長い網を持ち出して、何かをすくった。またまた大きなハタの仲間、沖縄の最高級魚、アカジンミーバイだ。急浮上したからだろう、口から浮き袋を出して海流に流されていたのだ。

「こりゃ、我々はついてるぞ二回目だな、サメか何かに、追われて急浮上したんだな、きっと。この魚もアカジン、沖縄ではお金のことだ。この魚は獲れれば市場でお金になるから、海人は自分の家では食べない。市場でお金になる高級魚だ」

津波君は満面の笑みを浮かべていた。

そして、

「これは刺身と煮つけ？　かな？　これは、きっとオジィの贈り物だ」

そして急に真剣になり、

「だけど、この辺はサメが多いのかもしれないな」

この海の中には、我々の知らない世界があって、その世界の中で魚や生き物達同士が互いに、死闘を繰り返したり、共存しているんだという事がよく分かった。

何となく人類が地上で、小競り合いを起こしたり、仲直りしたりの生活と似ているように思った。そして我々の知らないことが時々あるらしい。この辺りの海では、サメは天下無敵の生物だけど、津波君のオジィが一度見たらしい嘘みたいな話では、なんとサメがイルカに弄ばれ、命を落としたとの事だ。サメがイルカの群れの子供を襲おうとした時、何頭かのイルカがサメの腹を海底から突き上げ、イルカたちが次々と、ボールのようにサメを空中に跳ね上げ、サメは息絶えたとの事だった。その光景はまるで、バスケットボールの試合のようだった、とオジィが言っていたらしい。

このアカジンもサメもチョットの油断をしてしまい、我々の御馳走になったり、命を落としてしまうのだ。こんな海底と海上の世界の接点を突き破ろうとする時は、バックトゥザフューチャーのデロリアンのような衝撃に、用心深くスリリングに耐えなくてはいけないのだ。

海は厳しいんだ。しかし厳しさだけではない。北の海では、上手に海底と海上を使ってシャチがタラをグループで狩りをしているようだし、中近東の砂漠の民はイルカを使って、上手にボラ漁をしているらしい。厳しさと楽しさを持つ海、海が持つ大きなパワーは計り知れない。今日のメモの一言は〝海は宇宙より深淵で、厳しく楽しい？〟

連日のアカジンの高級刺身や、アラ汁をレトルトのご飯と、思い切り食べたせいか、眠くなってきた。

昼寝なんかするゆとりもなかったのに、今日は何故か眠い。舵の代わりの櫂を持ちながらウトウトし始めた。突然、津波君が、

「気圧が変わってきているようだ。ラジオラジオ」

と叫び、運天君が手回しラジオを探し出し、発電ハンドルを回し始めた。

しばらくしてチューニングを始めたが、中々、電波がつかまらない。小ぶりだった雨も時折、激しくなってきた。サバニにじゃれていたような小さな波も、少し荒くなってきて、眠かった顔を波や雨が濡らした。美しかった何もない紺碧だけの海原が、灰色になり始めていた。

ＮＨＫの電波を捕まえたようで、津波君の予感通り、台風が来るようだ。

「大丈夫、この舟は台風に馴れている。準備しておこう」

早速、それぞれの救命ジャケットとスキューバ用ウェットスーツを出した。これは我々がバイトして購入した一番高い備品だ。津波君の提案で、長時間海水にいても大丈夫なゴムと化学加工の二重構造の製品だ。他に市販の浮き輪や、廃船のブイ等、色々用意してきたが、山羊のための浮き輪に苦労した。結局、幼児用の手足に着けたり胴に巻いて着けた

りできる物にした。そのような浮き輪の人力空気入れが大変で、全員で必死に息を注入した。頑張りすぎて、しばらく頭がぼんやりとしてしまった。台風は明日頃に沖縄に来るようだ。先人たちも、こうして身体で感じた気圧や波の急変を経験しながら、大陸へと渡って行ったんだろうな。津波君はやはり海人のDNAを持っているんだ。この大自然の環境がそのDNAを、代々保存しているのに引き換え、僕を含め都会生活者は、昔から持っていたかもしれないDNAを全部放棄して、本来、獲物を追うために発達させた足や体を美容や外観だけのために皇居を走り、ジムで仕上げするだけだと思うと、少しもったいない気もするが、最近、僕はサッカーボールを必死で追うブラジルやイタリアの選手に、時折、アフリカの大地で獲物を求め、走る人のイメージを重ねて、サッカーを見て熱狂するのは、昔、すべての人間が持っていた隠された力を目の前に見せられての、熱狂なのかもしれないと思うようになっていた。サバニ舟は、徐々に波に翻弄され始めた。帆をたたんだり、帆柱を倒したり、日よけのシートを外し、柱等、風の抵抗を受けやすい物全てを舟底に収納して、ロープで結んだ。櫂は、一番大事だからと、津波君が三人分をまとめて舟に縛り付けた。

櫂もなく、帆もない舟が波のままにしばらく漂流することになった。食糧は大事だから、ビニール袋に入れ、防水の木箱（箱の中を防水塗料で塗り固めた物）に入れ、浮き輪を付けた。濡れてもいいものは、まとめて箱に入れて浮き輪を付けた。防水箱に入りきれない乾パンを、無理やり腐りかけたトマトやキュウリと一緒に食べてしまうことにした。台風と闘うために、とっておきＳＰＡＭの缶も開けた。台風は見えない風というより、灰色の大きな幕になって、包み込んでくる。まだ波だけで強い風が来ていないためか、ジワジワとその物体が、波と風を伴って近づいてくる気配があった。まだ踏み込んでいない、初めてのお化け屋敷体験のように、半分恐ろしく、半分待ち遠しい感じがした。

台風に立ち向かうであろう、我々の黒のウェットスーツは、まるでバイキンマンの集団のようだ。今日の一口記録は、手短に〝ＤＮＡを掘り起こせ、きっと僕にも何かある〟にした。

7 台風

台風の　目の中に一人いて　珈琲飲む
台風や　冷蔵庫に一つ　鳳梨（パイナップル）入れる

蝉麻呂

波は最初、サーフィン映画「ビッグ・ウェンズデー」の緩やかな、大きなうねりから始まった。その緩やかな波の中に閉じ込められ、その波を駆け上がっては滑りおり、また駆けあがった。それが、やがて北斎の神奈川沖浪裏になって、激しさを増した雨につれられてきた風が狂い始めた。おとなしかったヘビが急に鎌首を持ち上げたように波も襲ってきた。真上から浴びせられる海水が舟の中に降り始め、波と風と雨に存分に遊ばれて、舟にたまった海水を、かきだすことは、もう出来なかった。もうどこからでもかかってきなさい。大波に負けて航海ができるか？　最初のいきごみが徐々に萎えて、もう少し手加減をお願い、と弱気になり始めたとき、津波君が〝舟を被るゾ！〟と言って大事なものを詰めた箱を海に投げた、其々にロープでつないでいた箱は、波間にグルグルと渦を巻いていて、吹き飛ばされるように海の底に吸い込まれていった。運天君は山羊を抱え、足や胴に取り付けた浮き輪をチェックしていた。運天君の腕に抱かれた山羊は意外におとなしかった。

其々ゆっくりと海に入り、サバニを裏返してその中に入った。暗い僅かな空間で三人と山羊が体を寄せ合い、顔を上に向けてわずかな空気を分け合った。

皆、舟からはじき飛ばされないように張り巡らせたロープをつかんで必死だった。

時計反対回りに吹いていた風が徐々に変わっていくのが分かった。

不思議に死ぬという恐怖はなく、気持ちの中では早く終わってほしいという事だけだったが、風が変わってから、又波が激しくなった。どこかにこの波と風を操る者がいて、それは多分、天上から指令しているのかもしれないと思った。これが神の力なのかな?

突き上げる波が激しくなり、被っていた舟が吹き飛ばされそうになっていた。

皆黙り込んで、早くこの時が終わってほしいと思っているに違いない。山羊を抱えていた運天君のメガネはいつの間にか無くなっていた。

一回、二回、三回目の大波で波の中に引きずり込まれた。体が渦の中で回転しているのが分かった。渦を見上げると、無数の気泡越しに誰かがのぞいているようだった。誰だかわからない。やがて僕は得体の分からない黒い物に包まれ、静かに呼吸が出来なくなって、見えるもの全ての物が途絶えた。一日中吹いていた風の方向が何度か変わり、長く続いた台風は終わってニライカナイを目指す航海も終わったのだ。残された肉親たちはこの台風で、三人の生存をほぼあきらめているだろう。海上保安庁の探索も、米軍の救助隊も引き上げてしまっただろう。いつのまにか海は元のコバルトブルーに戻ったようだ。しかしそこは黄金色の東京タワーの下だった。久しぶりに正子さんに会った。亡くなった祖母や親戚のオジサンと一緒に立っていた。

「鈴木君何してるの？」

「君に会いたくて来たよ」

「馬鹿だね、まだ元気なんだから、もっとやることいっぱいあるでしょう。こっちに来てはだめよ」

「それが君がいなくなって、もうやることなかったから会いに来たんだ」

「馬鹿だね、私がいなくても自分で自分のやりたいこと考えなさい。生きていたら、自分のやりたいことに挑戦できるんだよ。君はなんでも。私はもうできないけど」

いつもの母のような正子さんは、黄金色の光の中にいて少し寂しそうだった。サンゴ礁の穴にたまった海水が、台風の名残の風に吹き飛ばされ、砂浜に倒れていた僕の頬にかかっていた。冷たさや波の音が僕に又蘇えってきたようだ。

ぼんやりとしていた太陽が、やがてくっきりとした光になり、コバルトブルーの海とサンゴの白い砂浜を浮かび上がらせた。僕は波打際のサンゴの浜に打ち上げられていた。僕は生きていた。海を漂っていたせいかすぐには立ち上がれなかったけど、僕は生きていたらしい。

しばらくすると、茂みの中から山羊の鳴き声がして駆けよったが、運天君の姿は見えなかった。山羊のヒーちゃんだけが、久しぶりの新鮮な草を食べるのに夢中だった。

周辺に運天君の姿は見当たらない。津波君の姿もなかった。ここはどうやら島のようだ。たった一人だと思うと、急に体中にゾクッとする冷たいものが走った。しかし無謀で稚拙な計画だったとの後悔はなかった。体中を締め付ける息苦しいダイビングスーツを脱ぎ、ティーシャツ一枚になったとき周辺の景色が見えてきた。浜辺には防水に苦労した我々の箱がいくつか、流木に交じって散乱していた。打ち寄せる波に弄ばれていた流木の先に、何か引っかかって揺れている物があった。その黒い塊は運天君だった。急いで運天君を浜辺に引き上げ、ダイビングスーツを脱がせた。顔は蒼白で手足は力なくぶら下がっていた。

僕は必死でヨットスクールで習った口移しの人工呼吸をした。何度かしているうちに少し唇が動いたように感じ、胸をたたいたり押したりしているうちに、運天君の口からは海水が流れ出てせき込み始めた。運天君は生きかえった。

「ヒーはいる？　津波君は？　津波君は絶対にこの浜にいるはずだ。最後までヒーを抱えてくれていたんだ」

運天君を少し休ませて、僕は波打際の木箱を浜に引き上げ、島の探索に出かけた。島の中心と思われる茂みに足を踏み入れた瞬間だった。

「よう！　二人とも無事か？　大丈夫そうだな、島の裏側に流れ着いたので少し探ってきた」

津波君だった。全員無事だった。浜に上がった木箱は、ほとんどが流されてしまい、わずかにコメと缶詰、釣り道具の入った箱、鍋窯、そしてランビキの入った箱も見つかった。それらのものは、シャツなどの衣料にくるんでいたので、濡れた衣料を乾かし、水を作るための薪集めをした。しかしマッチはすべて濡れて役に立たないことが分かった。ライターもなかった。運天君が、

「僕のメガネさえあったら、太陽光で火が作れるんだけど」

「大丈夫、君達は太陽光があるうちに燃えやすい枯れ枝や枯れ草を集めて、僕にはいつも正子さんがついていてくれるんだ」

二人はその言葉をキツネに、つままれたように聞いていた。

ティーシャツの下にはいつも、肌身離さず首に下げているコナンの虫眼鏡付きのキーホルダーがある。

「神様、仏様、正子さま。これが正子さんのプレゼント。信じないかもしれないけど、僕は正子さんに会ったよ」

太陽光があるうちに、火を確保しなければいけない焦りからか、二人はそんな事はどうでもいいという様子で、薪集めに懸命だった。

乾いた枯れ葉を集め、しばらく虫眼鏡で太陽光を集めていると、火はすぐについた。

細い枯れ木を入れて徐々に木を大きなものへと移していった。

ぱちぱちとはぜる火に、三人はようやく落ち着いて、津波君が、

「サンゴ礁の穴に、まだ雨水が残っているはずだから茶碗や桶に集めておいて、僕はランビキで水を作ってみるから」

海水をランビキに入れ、サンゴの岩と砂でカマドを作りランビキを乗せた。しばらくして海水が湧きたつと、冷たい海水をランビキの上に貯めると、蛇口からぽたぽたと雫が垂れてきた。津波君はその雫を指でなめて、

「出来てる出来てる、水だ」

大声で騒いだ。鍋にその雫を受けて、少しではあるが真水が確保できている。生きる安心感があった。

この島の反対側は崖で、日陰になっていた。サンゴ礁の高い岩場だ。くぼ地には、まだ雨水が蒸発しないで残っていた。流れ着いたすべての容器に水を入れ、着ていたウェットスーツの中にも、ため込んだり、防水をした木箱を、桶の代わりに使う事にした。木箱に入っていたコメや食糧は島の反対側のサンゴ礁の、高台の崖に木や岩で屋根をつくり、保管することにした。ランビキの水は、非常時の飲み水にするために、出来るだけ大事に保存することにした。この島は、一回りするのに10分くらいの小さな島だった。木箱に残っていた記録帳には、きっちりした書体で〝正子さん有難う、これからは自分で自分を探します〟にした。

しかし、この島では皆で生き残るために、やるべき事が多そうで、自分探しのゆとりなんかなさそうだ。

此処がどのあたりか、さっぱり分からなかった。運天君が夜になれば、大体どっちに流されたのか星を見ればわかるかもしれないけど、と言った。

とにかく寝床の確保、食糧の確保、それから島からの脱出方法。

休んでいる暇はなかった。津波君が、

「コメを炊くのに水もいるし、量も少ないから、明日からは煎りコメにしよう」

「忍者の携帯食か？」

僕が言うと運天君が、

「戦国時代は大体、煎りコメだよ。それにうちのオバァは、死ぬ間際まで戦になるといけないからと、いつも袋にいれていたよ」

津波君は、

「オジィが時々、持って漁に出てたのを思い出したんだ」

彼らは僕が書物で知ったことを、目の前で見ているんだ。津波君が、釣り具の箱中を探しているうちに、銛の先をみつけた。バスタオルも何枚か入っていた。

「暗くなる前に出来るだけ木を集めておこう。それから枯草、枯葉の敷布団集め」

流木集めに、島の裏側に回ってみると、崖の間に小さな砂浜を見つけた。その砂浜に、我々の流した、木箱が二個流れ着いていた。一つを開けてみると非常食の餅や、カロリーメイトが入っていた。しかし、我々が一番うれしかったのは、その中身ではなくて、防水の大きな木箱だった。雨水確保の容器になるからだ。もう一つの箱にはコンロやガスボンべ、ロープ、斧、缶詰も少し入っていた。それから、厳重にビニール袋に封入された物が出てきた。運天君が、急いで横取りして嬉しそうに〝星座表だ〟これは防水箱ではなかったけど、中身はビニール袋で厳重に防水されていたので濡れていなかった。ありがたかった。

「崖のどこかに洞穴があると思うけど、明日、皆で探してみよう」

運天君はコメを一握りずつ三人分、煎っていた。僕は枯葉や枯草集めを急いだ。

夕食は煎りコメと餅、ランビキ水をコップ一杯ずつ飲み、何とか我慢した。運天君は星が出るのが待ちどおしいのか、そわそわとして、自分の食器洗いも、いつもの丹念さがなかった。海辺で倒れていた運天君の蒼白だった顔面も元通りになっていた。まず金星が出て、他の星が出始めると、磁石と星座表を見ながら星を、熱心に見ていた。

運天君は心細そうに、

「僕たち、この島から脱出できるのかな？　地図がないから位置がよくわからない」

「大丈夫、君も読んだあの本、江戸時代の船乗りの漂流記には、二十一年間アホウドリを食べ、岩隙の隙間で稲作をして生き延びた遠州の船乗り達もいたらしい」

一時期夢中になった愛読書〝日本人漂流記〟には、昔から周囲を海に囲まれていたため航海が盛んで、船の事故も多く漂流も多かったことが記載されていて、その本に夢中の時は、まさか自分も漂流することなんか、考えてもいなかった。津波君は、タオルの糸をほぐし、ビニール袋を熱で溶かし、コーティングして丈夫な釣り用の糸を作っていた。

何か遭難の無人島生活も、少し不安はあるが、楽しくなってきた。

小学生の頃、初めて読んだロビンソンクルーソーのあの興奮が蘇った。

「運天君、あの金子みすゞのロビンソンクルーソーごっこの詩知ってる？」

運天君は「人なし島」という詩を知らなかった。

「古い人だけど、僕も知らなかったけど、最近又人気が出てきたようだ。特に女性にすごい人気だよ。小学生の頃だったかな。母が志織に読み聞かせていて知ったけど、僕はロビンソンクルーソーの名前が、古めかしい女性詩人の本に出てきて、ビックリ！　明治生まれの金子みすゞも、ロビンソンクルーソー読んでいたらしく、当時の人気小説だったんだな。今でも覚えているけど、今の僕たち気分なんだな！」

人なし島に流された、
私はあはれなロビンソン。
ひとりぼっちで、砂にいて、
はるかの沖をながめます。

沖は青くて、くすぼって、
お船に似てる雲もない。
けふもさみしく、あきらめて、
私の岩窟《いわや》へかえりましょ。
（おや、誰か知ら、出てきます、水着、着た子が三十五人。）
百枚飛ばして、ロビンソン、
めでたくお国につきました。
（父さんお昼寝さめたころ、お八つの西瓜の冷えたころ。）
うれしい、うれしいロビンソン、
さあさ、お家へいそぎましょ。

金子みすゞが故郷の浜で一人ロビンソン空想遊びしていたのがよく分かるな。
津波君は小さくなった火に木を入れて、運天君は星を見ながら、眠ったようだ。
浜に敷き詰めた草の匂いが心地良く、すぐに眠りについた。
寝る前に本来なら、明日も天気でありますように……だけど僕たち明日は雨で、ご飯が炊けますようにと、祈って寝た。

翌朝もドピーカン、水平線から大きな太陽が昇り始めた。

津波君が、〝今日は裏の崖の方を調べてみよう、と、その前に魚釣り、魚釣り〟と独り言のように言って、サンゴ礁の浜に出ていった。

昨夜作っていたテグスを早速確かめたかったらしい。道具箱のテグスは細すぎて、大事な針をなくすのが嫌だったらしい。

運天君は草原の方に、大きな鍋を持ってどこかに逃げ込んだ山羊を探しに行った。

我々の重要な栄養源、乳を搾るためだろう。

僕は昨日忘れていた一言メモを書いた。〝ニライカナイの夏休みがロビンソンクルーソーの夏休みになりそうだ〟津波君が大きなブダイを釣り上げてきた。津波君はやはり海人の天才だ！　こんな人が、太古の時代にはいっぱいいたんだろうか？　あるいは、こんな能力を持った数少ない人がチームの長になって、生き残っていったんだろうか？　津波君はそんな事には、いつも無関心で、ひたすら、僕たちのために大物に挑戦してくれていた。

朝、運天君が絞った山羊の乳は、体の隅々まで栄養を流し込んでくれ、はつらつとした朝をプレゼントしてくれた。

「新鮮な草を食べたせいか、今日は乳をよく出してくれた」

運天君は大きな鍋いっぱいの乳を持ち帰って満足顔だった。

朝はカロリーメイトと山羊の乳、昼は焼き魚。贅沢な健康食でこれでご飯があれば、一年くらいは孤島生活も悪くないと、強がりで思ってしまう。津波君は二匹目をあきらめ、皆で朝食後、島の調査に出かけることにした。

何か我々のために役立つ物はないか？　サンゴの岩礁地帯にある、洞窟を調べることとした。トウヅルモドキ、沖縄では「シキオ」（神の木）が一本あり、ガジュマルの根が、岩壁の裂け目の入口に垂れ下がり、中に入るのを拒んでいた、中は広場になっていて石の柱が立っていた。津波君と運天君はそれを見た途端、中に入ろうとした僕を、急に止めた。

「御嶽《うたき》だ」

二人は同時に叫んだ。

「男が入ったらいけない、神聖な場所だ」

運天君が続けて、

「本島の南の方のは有名だけど、こんな孤島にも御嶽があったんだ。御嶽はニライカナイから五穀の種が入った壺が流れ着き、沖縄の農業の始まりの地と言われているんだ。この島もニライカナイからの贈り物があったのかな？」

御嶽はそんなところらしい。しかし、その広場には、石以外何もなかった。ただ四角な石と中央には石の柱が置かれていて、あとは何もなかった。よく見ると広場の奥には、クバの木もあった。その木の間から海が、覗き見えた。

子供のころから見慣れていた普通の神社やお寺の鳥居や建物とあまりに違い、僕には彼らが恐れる、この何もない漠然とした空間が、特別に神聖な場所にはとても見えなかった。ただ、置かれているだけの四角く切られた石が、何もない広場では不気味で、そこだけ特別な空気が漂っている気配はあった。

二人はすぐに後ずさりして、この場から離れていった。僕はよく分からなかったけど、とにかく彼らの後に続いた。何もないという事が、こんなにも恐ろしさを倍加させているという事が不思議だった。今日の探検は打ち切り浜にもどる途中、津波君がオーバギの木を見つけた。これは昔、紙が少なかった頃、紙の代用になった葉の木だ。

これで今までメモのノート紙を使っていた、トイレットペーパーの代用品が見つかり助かった。

浜に戻ると、津波君が空を見て、

「箱、鍋、ビニール袋、なんでも水の溜まるもの用意して……すぐに雨が来るぞ」

急いで火種を岩陰に隠し、サンゴの岩で屋根を作って、雨に備えた。

やがてポツポツ来た雨が、急に天の桶をひっくり返したような大雨になった。全員で頭を洗い、少し匂ってきた下着やシャツを洗った。何よりもうれしかったのは、今日の晩ご飯はコメが炊ける事だった。雨は予想を超えて、大量に長い間降ってくれた。僕たちは今晩の温かいご飯のために、火を消さないように乾いた木の確保や、雨から火を守るための囲い作りに必死だった。長いメモをとる余裕はなかったが、一言〝温かいご飯が食べたいな〟だ。


強力な雨は、大量の真水をサンゴの岩礁に残し、潮で固まった僕たちの頭髪を柔らかくしてくれた。全員で守った火は消えることもなく、サンゴ礁の崖の下で、生き延びてくれていた。津波君も運天君も御嶽の祭礼がいつあるのか？　正確な日時はわからなかった。二人は多分12月頃？　だと思う、と言っていたが、これは正確ではなかった。

祭礼のお供物はミカンとバナナとリンゴだそうだ。ミカンは中にいっぱいの実がつまり、子宝に恵まれるように、バナナは男の象徴だとか？　リンゴがどんな意味があるのか、よく分からないらしい。しかし中国から伝わって来たらしいが、内地でもよく仏前に供えられたものだ。

普段は、特に食べたいという気持ちにならなかったが、今は想像しただけでヨダレが出てしまう。情けないことだ。そんな事より今日の晩ご飯の、目の前の炊き立てのコメが食べられる現実の方に、頭がいっぱいになっていた。運天君は正体不明のものをコメの中に混ぜ、炊き込んでいた。多分ビタミン栄養不足に配慮したのだろう。ブダイのアラ汁にも草をふんだんに入れていた。

「それは何を入れてるの？」

「これはモアーサー、雨上がりに地表に生える藻の一種で、昔はよく食べていたと、オバァに教わったんだよ。こっちはただの草の葉だけど、山羊も食っていたし虫も食っているので毒がないから安心だよ。スーパーボランティアのオジサンがテレビで言っていたから真似してみたんだ」

なるほど、僕はこの奇妙な炊き込みご飯を火にかけた。雨上がりの海風が、洗い髪をやさしく乱して気持ちよかった。津波君は海に潜り、何かを追っていた。今日は中々取れないらしい、時折、〝逃げられた！　ウーン〟と一人悲鳴を上げていた。周辺が少し暗くなってきたからかも知れない。混ぜご飯が炊きあがり、ブダイの干物、アラ汁、夢のような夕飯だった。コメを一粒かみしめると、コメがこんなに甘く、一粒のコメがカプセルになっていた触感に涙が出そうになっていた。モアーサーも悪くなかった。このコメのうまさがアジアの米食文化を広げたのがよく分かる。今ここに母が作ったハンバーグや、彼ら二人の大好物、チキンのから揚げがあれば、と思うと食べ物に揺さぶられている偽ロビンソンクルーソーの自分が情けないと思いながらの、ふがいないと思ううれしい夕飯になっていた。

「一年以内には、ここの御嶽に人が来ると思う」

運天君が言った。

「一年なんかすぐに過ぎるよ。それまでこの無人島生活楽しもう」

津波君はそう言いながら残り少なくなった食糧保存箱を覗いていた。皆、強がりを言っているのがよくわかる。

徐々に卵焼きやピザの幻想が、僕の信念を打ち砕いているのがよくわかる。

津波君が、

「ここの海はカメが多いんだ。島の裏側にカメが上がるかもしれないから、今夜、行ってみようか？」

運天君が、

「その可能性はあるな。それに渡り鳥が休んでいるかもしれないし」

皆、食糧を意識していた。よく燃えそうな細い枝をまとめ、松明を作り暗闇の中、サンゴの岩が隠れている草原を横切り、島の裏に出かけることにした。島の裏側には小さな砂浜がいくつかあって、急な崖を下りなければならなかった。この崖は昼でも下りるのに困難な所で、夜に下りるのは無理だった。津波君が、

「明日の昼間に下りる場所を確保しておくから、明日にしよう。それにカメが上陸しているかは、足跡でわかるから」

我々は、何気なく食べ、眠り、暮らしていた以前の日々が、ここではまるで波乱にとんだ冒険物語の一頁だ。

この先どれくらい、この島で生き延びられるのか？

ニライカナイの島への道が、もろくも台風に吹き飛ばされ、行き場のない我々はひたす

ら食糧のことのみ考え、気を紛らわしていたけれど夜になると、明日は朝日を浴びた真っ白な海上保安庁の巡視船が沖合に現れることを夢見ていた。

ここがどこだか、はっきりとわからないけど、沖には船の往来がない珍しい海だと、津波君が不思議がっていた。運天君は何とかして帰りたいらしく、大きな流木が打ち寄せられてくると、急いで浜に引き上げるように、我々に協力を求めた。

筏を作って島を脱出したいらしい。気持ちは痛いほどよくわかる。

僕はめったに味わえない、貴重な体験だと割り切り、しばらくはこの島で過ごしてもいいと思い始めていたけど、運天君の一途で、けなげな脱出計画を見ていると、少し悲しかった。

僕の理想の脱出方法は江戸時代、日本の海に来たという正体不明の宇宙船カプセル、特に一八〇三年に鹿島沖に流れ着いたものが有名なのだけれど〝うつろ舟〟と呼ばれていたもので、こんなのが突然現れ、三人を宇宙に連れて行ってくれるというストーリーを、夜空を走る人工衛星の光を見ながら毎夜、空想を膨らませ眠りにつくのが楽しかった。最初、皆に話すと結構楽しんでくれていたけど、この〝うつろ舟〟妄想も、最後は最近話題になりはじめた地球の温暖化や海の汚染を進行させる海洋プラスチック問題、さらには恐竜を絶滅させたミッション等、地球環境を牛耳った者達の怒りだとか、宇宙人が地球上の地震や火事をコントロールしているという、とんでもないお話になってくると、皆の大ひんしゅくをかってしまい時折、津波君が僕の額に手をあてて、

「大丈夫かな？　人は怖い思いをすると頭がおかしくなると言うからな」

ぼくは少しむきになって、

「琉球で大活躍した源為朝のことを書いた〝椿説弓張月〟の作者滝沢馬琴が、その〝うつろ舟〟のこと書いているんだぞ」

「もしやってきたら、何か記念品でも貰っておこう」

津波君が少し冗談めかしに言った。

「僕たちも何かあげないと。しかし何もないな、みんな最低限度の必需品だし」

「山羊なんか欲しがるかもな」

と津波君が言ったとたん、運天君が猛烈に怒り出した。

冗談が、この極限状態のためか、猛烈に怒り出した。僕達にはありえないけれど、極限状態の飢えた昔の漂流民は、人肉を食べたと書かれていたけど、こんな状態に近かったのかもしれない。

こんなことを空想したり、母のハンバーグを食べたくなったりすると、この美しい海や風やお星様、早く今までの生活に、僕たちを戻してください！　に変心し始めていく。我々はまだ、未来のすべてを見たわけでないので、何もかも捨てて旅立つことは、どんな人生が待っていたとしても、見ずに終わるのはもったいないことだと、思った。台風の海の底に沈んでいく僕に、正子さんは自分の分も生きてと……言っていた。

きっと残念だったに違いない。僕たちは、明日も又、必死になって食べ物を探し、一日でもこの貴重な命をつないでいこう。まだまだ知りたいことといっぱいあるから、頑張らねば。今夜の皆の夢は、チキンのモモ焼きや牛の焼肉に違いない。食糧を何とかしなければ、この夢はずっと続くはずだ。突然、人工衛星が空を横切った。何とか僕たちを見つけてくれないかな？　夜釣りの船が立ち寄らないかな？　ありえない幻想だらけの夜が更けていく。

次の朝は、残りのご飯とアラ汁で雑炊をつくった。運天君がこの汁に入れた陸のモアーサーは、ワカメの様にヌルヌルして触感も似ていておいしい。僕は、魚とこの植物と山羊の乳が、今後、僕たちの栄養のバランスを、支えてくれるものになっていくんだと、思っていたけど、運天君が言った。山羊の乳が採れない季節があると聞いたのが不安だった、津波君はこの辺りの海に多い海鳥を捕ることを考えていた。食事を終え、流木集め、貝や海藻採り等、無駄な時間はなかった。神聖な御嶽の傍で、運天君が一本のパパイアの木を見つけてきた。

実は出来ていなかったが、若い葉がついていた。

「これは食べられる、貴重な葉だ。実がなれば最高の食材だ」

何でも知っている子供だと言われ、有頂天になっていた僕の東京での生活は、一体何だったんだろう。二人は先人たちの生活の知恵を受け継いで、ここでの生活に活かしている。本や雑誌や最近のパソコンとかで得た知識がここでは役に立たないことを痛感させられた。もし、無事に帰ることが出来たら、今度は生きた知識を、もっともっと身に付けるようにしよう。

昼は、カロリーメイトと缶詰で済ませ、サンゴ礁の穴に潜んでいる小魚やタコを探した。津波君は獲物が中々捕れないようだ。江戸時代、大風で無人島に漂着した有名な土佐のジョン万次郎がアメリカの捕鯨船に救助された時、万次郎を船長が気に入ったのは、若く泳ぎがうまく、貴重な蛋白源としてカメを捕るのがうまかったからだといわれている。

もしそれが本当なら、船の上から飛び込んでカメを捕るなんて神業に近い技だったんだろう。津波君が海から戻ってきた。

「参った、参った。昨夜カメが浜に上がって来ていたようなんだ」

彼は海伝いに、裏側の浜に行ったらしい。

「それに誰かが来ていたようなんだ、浜にこんなもんが落ちていたんだ」

それはヘッドライトだった。

「カメの生態調査か観光グループが来たんじゃないかな」

それはまだ新しいヘッドライトで大学の名前が書かれていた。

「これはカメの調査班の持ち物だよ。このタイプは研究者用のプロ使用のだ」

運天君が悔しそうに言った、そして、

「二〜三カ月後の孵化の時期に、又来るかもしれないから、用意しとこう」

僕たちはサンゴの岩を集め、SOSの文字にして、浜に積み上げた。調査団がいつ来たか、よく分からなかったが、津波君が言うには、カメが浜に上がるときは物音、特に光を嫌うので、調査の時は上がるまで光を切って、静かに見守るから、昨日の夜、密かに来ていたのかも知れないと絶望的に言った。この石も暗闇では見えないかもしれないから、白い貝殻や缶詰めの空き缶等を置いて、暗闇でも少しは見えるようにしたり、流木の枝を浜に立てたり、出来るだけ人の気配を感じてもらうように工夫した。

カメの足跡が残るこの狭い浜に、たくさんの卵が埋もれていることは、全員知っていた。僕以外の二人も、新鮮な卵焼きのイメージが、頭から離れなかったに違いなかった。

しかし、誰も掘り出そうと言わなかった。多数の卵が、孵化して大人になるのはごく僅かでほとんどが外敵に食べられてしまう事を、皆は知っていた。

運天君が静かに話し出した。

「沖縄ではカメに救われた人の話が多いんだ。一番有名なのは十五世紀ころの本当の話で、久米村の役人が、王の命を受けて明国に書類を届ける航海の途中、嵐に遭い漂流してしまった。その時大きなカメとサメが出てきて、カメは役人を背中に乗せ、サメは彼らを守って、無事に航海したということだ。その後、この役人の家では代々カメもサメも食べないということだ。こんな話は沖縄には他にもいっぱいあるんだ」

「僕たちは、まだ食べ物はあるし、人間の沿岸開発のために、どんどん減っているカメの卵を食べるわけにはいかないよな。頑張って魚捕るからな」

津波君が言った。

多分、何回もチャンスがあったはずの、海の中でこの愛すべき動物には、銛を打ち込むことが出来なかったんだろうな。津波君は琉球の海人だ。

「今夜はもう、調査には来ないだろうな。次は二カ月後だよ。孵化の数調べと、タグかペイントの目印を取り付けに来るかも？　それまで頑張ろう」

運天君の、予想にはいつも納得させられ、勇気付けられる。

貯めた雨水も、そろそろなくなり始め、煎りコメの食事に戻りそうだ。津波君が大きなコブシメを捕ってきた。

乾麺が少しあったのでイカ墨うどんを作ってみた。昔、父と行ったイタリアンレストランのイカ墨スパゲッティを思い出したのだ。

「イカ墨にはアミノ酸が多く、栄養価が高いんだ。口の中が真っ黒になるけど、薬と思って食べるように」

津波君が珍しそうに、

「海人のオジィは何故かイカ墨は食べなかったよ。イカ墨うどんは初めてだ」

そう言ってハシを付けた、イカの肉はゲソも一緒に焼いて食べた。僕は昔、水族館で聞いたカメのことを思い出した。その水族館はカメの繁殖で有名なところで、館の中におおきな砂浜を作り卵を産ませていた。毎年その人工砂浜で孵化した稚カメの足ひれにデーターを付けて、海に放流していたけど、数年後、何百キロも離れた島の役場から連絡があって、そちらの水族館で生まれたカメが島の浜に来ているという報告だった。

何故その島だったのか？　調べてみるとその水族館の建設当時、工事に使われた砂浜の砂はその島から持ってきた砂だったんだ。カメは代々受けついだ環境とか親の匂いを体内に持っているようだと、水族館の人が説明してくれた。何年もかかって親の匂いを求めて航海するカメ。想像しただけで、親不孝な人間の僕は感動した。カメの卵を食べようとは誰も、何も言わなかった。

一口メモには、〝この海と僕たちを守るための命？　カメの卵は食べない我慢だ〟

翌朝は、夜明けの雲を見ながらカロリーメイトと海草のアーサースープ、海から出る太陽の動きは、いつも見ていて飽きない。沖の水平線から出て来る太陽は日によって出方が違っていた。ある時は歌舞伎の大見得を切っているようだったり、ある時は静かに、はにかんで、恥ずかしそうに登場してきた。今日は紫色の雲を引き連れ勇ましく登場した。どれくらい長い間、こうして夜明けを楽しめるんだろう？　これは僕の密かな楽しみの一つだ。

運天君が山羊の乳を持って来てくれた。皆が連れてくるのを、大反対した山羊のヒーちゃんがこんなに役立ってくれているなんて、目に表情のないクールなこの不思議な動物を、僕は徐々に好きになりかけてきた。

いつも静かな山羊が、今日は珍しく何回も何回も啼いていた。

スープの中に入っていた貝殻を、思い切り噛んでしまった瞬間だった。遠くに船のエンジン音が聞こえた。

津波君はすぐに立ち上がり、

「船が来る、浜に出よう」

三人は急いで浜に出た。エンジン付きの黒いゴムボートが近づいてきた。中には五、六人の人が乗っていた。上陸用のボートだ。乗っていた人々は、僕たちを見て驚いているのが分かった。彼らの乗る、黒い平たいゴムボートがカメのように見えた。上陸した人の一人が、静かに、

「君たちは、どこから来たんだね」

不思議そうに尋ねた。

「僕たちは本島から、流されて……」

津波君が答えた。

ボートの中は少しざわついていた。

じっと見つめていた人が、思い出したように言った。海をさまよっている間、僕たちは、すっかり有名になっていたらしい。

「あの台風でいなくなった三人の少年だな、よく無事でいたね」

この人は大学の先生らしい、他の人達は民俗学を学ぶ生徒で、夏休みを兼ねての調査研究に島を回っているということだ。

「この辺りの島は地図にも載っていないのもあって、調査が遅れているんです」

と言って、先生は学生に、本船に連絡するようにとか、何か食べ物があったら、少し分けてあげなさいとか、

「急に沢山はだめだよ」

先生は、僕たちに気づかってくれた。

「先生、ここはどのあたりなのですか?」

津波君が聞いた。

「伊是名、伊平屋のはずれ付近の島々だが、地図にも記載がない孤島だ」

「何故、こんな島に民俗学調査? なんですか」

津波君が聞くと、

「カメの調査チームが、最近、伊是名や伊平屋の人々から、大昔、祭礼をしていた島があると聞いてね。カメチームが教えてくれたんだ」

その言葉を遮るように運天君が、

「先生、この島には御嶽があります、しかも珍しいニーランらしき石があります」

先生は驚いて、

「ニーランの石？　君は何故、そんな事知っているの？」

「昔、兄に教えてもらいました、兄には最近は会っていませんが、僕たちは船出する前にニライカナイの事を調べました。だいたい、伊是名は尚家発祥の島だし、神の島ですね。古い遺跡があってもおかしくないですね」

「もし本当なら大発見だよ。ここまで来たかいがあったな」

先生が初めて、少し笑った。

ニライの神は海の彼方から来ると、昔から信じられている。そこにはニーランの石があり神様の足掛かりの石とされているらしい。竹富島には現在でもあるらしいが、他の御嶽ではあまり見ない。迎えの救助隊を待っている間、女子学生がチョコプリッツをくれた。そのおいしさは、その後、食べたどんな物よりおいしかった。山羊のヒーちゃんは、早くも女子学生のアイドルになっていた。やがて新しいゴムボートが迎えに来て、周辺が急に慌ただしくなってきた。三人で荷物をまとめ始めると、船の人に〝この船はあまり載せられないので荷物は後でとりに来るように〟と言われ、とりあえずランビキだけを持って帰ることにした。先生にランビキについて色々聞かれた。運天君が山羊を連れてくると、「山羊はだめだな！」と言われた。

「この子は僕たちの、命の恩人なんです」

三人は口々に一緒でないといやだ、と言うので女子学生の応援もあって、困った救助の人はしぶしぶ同意した。それから、カメの産卵場所に作った我々の目印を元通りに戻し、ゴミを残さないようにした。当然、火も消して三人と一匹はこの島を離れた。

本船までは30分くらいかかったが、沖には新しい大きな救助船が、迎えに来ていた。

船に乗り込むと船長が、

「あの台風の中、よく無事でいられたな。よかった、よかった」

そう言って、コーンスープを出してくれた。

島の人々は皆温かい歓迎で、久しぶりに体を通り抜けていくスープと同じように温かかった。

覚悟して出た航海のはずなのに、心の中は何故か安心感とうれしさでいっぱいだった……。

島には海上保安庁の高速船が待っていた。

チョット大げさに毛布にくるまれて、僕たちは搬送された。

運天君は常に山羊が気になっていたのか大きな山羊を抱きかかえていた。最寄りの港まで30～40分くらいかかるらしい。海上保安庁の人に色々聞かれたが、一番多かった質問は、何を食べていたか？　だった。津波君が礼儀正しい口調で、

「沖縄の海の宝、魚や海藻、貝等です」

「そんな食糧の魚や貝、どうして捕まえられたの？」

津波君はここで少し怒ったように、

「僕は海人の子です。祖先が生き延びてきた海で生きています」

津波君はかっこよかった！

最寄りの港には、大勢の人が詰めかけていた。医者もいて身体検査などがあり、簡単な食事が出たが、消化に良さそうなものばかりで、普段食べていた刺身や焼き魚の方がおいしかった。ここで夢にまで見た、ハンバーグやケンタッキーフライドチキンが食べたいと

は、とても言えなかった。

記者会見やら、放送等のインタビューがあって、同じようなことを何回も答えなければいけなかった。面倒だったけれど、これがテレビで全国放送されていた。偶然というか、ニュースは多くの日本人が見ていたらしい。この放送は京都の大学の学食でも、トップニュースとして流れていた。

食事をしていた学生の一人が、突然、

「おい運天、あれお前の親戚ちゃうか？　よう似てんぞ！」

言われて顔を上げた学生が驚いて、テレビに駆け寄った。

運天君はテレビで、

「家族は母と二人です。帰ることが出来て、きっと喜びます。アーそれから兄もいます。見てたら、喜びます」

テレビを食い入るように見ていた学生が、外に走りだしていた。その学生は東京の大学から京都の大学院に進学した運天君のお兄さんだった。やはり同じように大阪でテレビを見ていた人がいた。その人達は皆、すぐに沖縄行の飛行機に乗っていた。僕たちは簡単なインタビューを受けてから、精密な身体検査を受けるために病院に入った。運天君は病院

の庭につながれた、山羊を心配していた。医者と看護師さんが、

「大丈夫だから、もっと真剣に息を吸って、出して」

うわの空の運天君に、しきりに注意していた。二日程で検査が終わり、当たり前なんだけど、全員何事もなかった。

栄養も足りていたようだった。風呂にも入ったけど、ハンバーグとケンタッキーは言い出せなかった。

明日、大げさな記者会見があるらしい、その前に中学の校長先生と担任が来た。

校長は「無事でよかった、よかった」と言ってくれた。

担任は「お前ら心配かけよって。いつもの元気なお前らだ、無事でよかった、よかった」

意外に優しい担任に驚いた。我々が行方不明になった時のインタビューは、あったのかな？ 我々の狙い通りの意地悪な質問、担任は答えられたのかな？ ちょっとうしろめたさはあった。翌日の記者会見は、大勢のマスコミの人が来ていた。テレビカメラの照明やカメラのフラッシュで目がくらんで、どこに誰がいるのか？ 検討もつかなかった。記者の質問はまず「どこに行こうとしたんですか？」「何故、夜の船出だったたんですか」「何を食べていたんですか？」「台風は？」「今したいことは」適当に答えて、最初の質問「どこ

に、行こうとしたんですかの質問には、全員で、「海です、沖縄の美ら海に誘われました」ニライカナイの事は、だれも言わなかった。

記者会見場のまばゆい照明に、目が慣れた時、会場の隅に母と志織、そしてなんと父がいた。もっと驚いていたのは運天君で、お母さんとお父さん、そしてお兄さんがいて、隣に健オジサンがいた。津波君は大阪から両親が駆けつけていた。

沖縄に来るとき、正子さんがくれた白秋の短歌集がずっと気になっていた。付箋がしてあったページの歌は〝ほそぼそと　出臍の子供笛を吹く　紫蘇の畑の春の夕ぐれ〟何故この歌なのか？　僕にはよくわからなかった。しかし、夕暮れ時にはいつも思い出していた。

8 美ら海

海よりも　空よりも蒼き　ハギの群れ

蝉麻呂

【年月が流れて】

津波君は水産大学を出て、念願の夢がかない大型タンカーに乗り、外国の海に行くはずだ。

運天君は地元の大学で教育学を学び、現在、県庁で沖縄の教育問題に取り組んでいる。

来春、あの園子さんと結婚するらしい。

僕は二浪して医学部に入り、卒業はまだだ。

志織は薬学部で勉強して、母の勤め先の病院と関係のある薬局で働くことをめざしている。

運天君のお父さんは沖縄に戻り、タクシーの運転士さん、お兄さんは京都の大学の先生を目指している。

津波君のお父さんは、今、沖縄の海で海人として活躍している。

そして僕の父は、退職して沖縄の海で毎日、釣りを楽しみながら、時々働いている。

最近、突然「お前、〃ニライカナイ〃って知ってるか？」と聞かれた。

―終わり―

参考と引用

岡本太郎『沖縄文化論—忘れられた日本』中公文庫
外間守善『沖縄の歴史と文化』中央公論新社
新屋敷幸繁『歴史を語る沖縄の海』月刊沖縄社
荒川秀俊『日本人漂流記』人物往来社
平岩弓枝『椿説弓張月』新潮社
澁澤龍彦『うつろ舟』河出文庫

石川正通　方言詩「沖縄ぬ宝」
喜舎場永珣『八重山民謡誌』沖縄タイムス社
宮沢賢治『ザ・賢治』第三書館
谷川俊太郎『夜のミッキー・マウス』新潮社
まど みちお『まど・みちお全詩集』伊藤英治 編、理論社
谷川俊太郎『ことばあそびうた』福音館書店
金子みすゞ『金子みすゞ童謡全集』矢崎節夫 監修、JURA出版局

あとがき

私が初めて沖縄を訪れたのは、お亡くなりになる直前の手塚治先生と訪れた石垣島でした。その時、先生はもう大分、体調がすぐれないようでした。しかし終日、時間があれば机に向い、原稿をお書きになっておられました。時折、海辺を飛ぶオオゴマダラ蝶を見ながら、この次は仕事でなく、この恵まれた自然の中で、昆虫採集をしたいな！　と往年の昆虫少年の目を輝かせておられたのが印象的でした。

その後、私は沖縄の美しい海や魚たちを取材し、国内外に紹介してきました。そして最後に行き着いたのが美ら海水族館建設の仕事でした。三年ほど本部に住み、思い切り地元の人々の温かさに触れ、その温かさが豊かな海と島の大自然に由来するものだと知りました。

また、ヤンバルで出会った子供たちは、東京では決して出会わない、現代では貴重な、のびのびとした大自然児達でした。場所が異なっても、北摂の奥深い山野で過ごした私の少年時代を、彼らは久しぶりに思い出させてくれました。特に現在、ネットやゲームに夢中になり、コロナの影響で友達との接触が少なくなった子供たちのために、その昔、野生の子供だったオジサンが、書きたかったことをまとめてみました。ちなみに、俳句は昔からの趣味です。

この作品を出版するのにあたり、多くの方々のご協力を得ました。

特に元電通沖縄の会長緒方氏、元社長の寺井氏、地元ＰＭエージェンシーの比嘉社長、奥村氏、そして最初に沖縄の海の魅力を教えてくださった日プラの敷山社長、ＤＭＭリゾートの市川氏、カバーのイラストは、大手広告代理店で数多くのＣＭを手掛けてきた、定年退職したにもかかわらず、まだ現役の野性オジサン、西橋氏が引き受けてくれました。挿絵は陶芸家の巴菜さんに無理やりお願いいたしました。

特にでたらめな文章を、こまめに編集してくださった新星出版の坂本さん、琉球新報の松永さん、沖縄の建築を教えてくれた新垣さん、皆様ありがとうございました。

沖縄は今日も紺碧の海、紺碧の空です。コロナが早く終息しますように！

２０２０年12月27日

奥村禎秀（おくむら　よしひで）
1942年　大阪府生まれ。早稲田大学文学部卒業。
テレビCM、ネイチャードキュメンタリーフィルム監督を経て現在、水族館、植物園、動物園の企画、設計のコンサルタントをしている。幼少期に育った山野の生活環境や海と人の事について、現代の一人でも多くの子供たちに体験してもらい、大自然の大切さを感じてもらう事を、常に心掛けている。
著書に『水族館狂時代』（講談社）、『アフリカの詩』（采唐文化有限公司）がある。

美ら海漂流記《ちゅらうみひょうりゅうき》

2021年3月28日　初版第1刷発行

著　者　奥村禎秀

発　行　新星出版株式会社
〒九〇〇-〇〇〇一
沖縄県那覇市港町二-一六-一
電　話（〇九八）八六六-〇七四一
ＦＡＸ（〇九八）八六三-四八五〇

ISBN978-4-909366-61-0 C0093
日本音楽著作権協会（出）許諾第2100445-101号
NexTone 許諾番号 PB000051060